JARDIN PRACTICO

Orquídeas

> Las reinas de las plantas de interior
> Bellezas exóticas para cada hogar

FRANK RÖLLKE

HISPANO EUROPEA

1

Planificación

El mundo de las orquídeas

Sus raíces les sirven para aferrarse a las copas de los árboles de las selvas vírgenes; prosperan en la umbría de las junglas, despliegan sus flores tanto en laderas montañosas repletas de niebla como en áridos altiplanos: las orquídeas se encuentran como en casa en cualquier parte del globo terráqueo. Su diversidad busca a sus iguales en el universo de las plantas.

Hoy en día las orquídeas son las plantas de interior más conocidas y muchas de ellas ya son asequibles para cualquier bolsillo. Su fascinación no las ha perjudicado, sino más bien todo lo contrario: hechizan a los seres humanos lo mismo que hace 400 años, cuando los europeos aficionados a la jardinería cultivaron en sus residencias las primeras orquídeas traídas de zonas tropicales. Las orquídeas seducen por la variada forma de sus flores, sus resplandecientes colores y llamativas combinaciones cromáticas y por la diversidad de los dibujos de sus flores. Algunas orquídeas solo miden unos pocos centímetros y otras desarrollan tallos de hasta 10 m de largo. Algunas de ellas forman racimos constituidos por gran cantidad de diminutas flores, en otros casos sus adornos florales, de 25 cm de diámetro, están colocados entre un abundante follaje verde.

Orquídeas para casa

Las primeras orquídeas tropicales que se trajeron a Europa no sobrevivieron demasiado: nadie conocía con precisión sus necesidades y se secaban demasiado o se humedecían en exceso y padecían mucho frío o calor. Poco a poco los botánicos volvieron de sus viajes con mayor cantidad de conocimientos sobre las necesidades de las variedades de orquídeas. Gracias a la diversidad de tipos, ahora podemos disponer de orquídeas que resultan adecuadas tanto para lugares luminosos como sombríos y con temperaturas ambientales desde cálidas a frescas. Con la introducción de los más modernos métodos de cultivo y reproducción, los especialistas en esas exóticas plantas dispusieron a partir del siglo XX de un amplio abanico de clases de híbridos muy adecuados para la vida en nuestros hogares o en los invernaderos. Cualquier amigo de las orquídeas puede encontrar la flor adecuada para su vivienda.

La posibilidad de elección de orquídeas es cada vez mayor: casi todos los días se consiguen clases más modernas y atractivas; mientras, en las selvas tropicales aún se oculta hoy en día una maravilla: la singular orquídea con forma de zapato femenino y color rojo, la *Phragmipedium besseae*, descubierta en el año 1981 en la zona tropical de Sudamérica. En los Pirineos crece una especie similar, el zapatito de dama, *Cypripedium calceolus*, en peligro de extinción.

Las resplandecientes flores de las orquídeas fascinan a los seres humanos. En la Naturaleza atraen a polinizadores como el colibrí.

Orquídeas: las reinas de las plantas de interior

Casi ninguna otra familia de plantas puede competir con la belleza de las orquídeas. Desde su llegada a Europa conquistaron los corazones de los amantes de las plantas y hoy en día existen numerosas variedades fáciles de cuidar.

Las orquídeas han fascinado a los seres humanos de todos los tiempos. En los escritos chinos de hace unos 3.000 años ya se nombraba a una orquídea de la variedad *Spiranthes sinensis* que, por aquel entonces, era utilizada como planta medicinal. De la época de la dinastía china Sung (siglos XII y XIII) se han encontrado libros que describen con gran extensión el cultivo de las orquídeas. En tales obras ya se identificaban 37 tipos distintos. Desde tiempos muy antiguos también han sido solicitadas como plantas útiles. En Centroamérica y Sudamérica los indios las utilizaban en sus ceremonias religiosas como ofrendas florales y los aztecas aromatizaban con vainilla su bebida de cacao. En Indonesia, las fibras de los bulbos de las orquídeas *Dendrobium* se usaban para confeccionar cuerdas; el contenido de un tipo de *Laelia* servía en Centroamérica como materia prima para fabricar.

Las orquídeas conquistan Europa

El filosofó griego Teofrasto (370-285 a.C.) fue el primero que adjudicó a una orquídea la denominación «Orchis». Con esa palabra describía el par de raíces abultadas que se asemejaba a los testículos (en griego: orchis) de un muchacho. A partir de este término se formó depués el nombre científico para esta familia de plantas: orquídeas, o bien *Orchidaceae*. Los europeos descubrieron, hacia el siglo XVI, las orquídeas tropicales en Centroamérica y Sudamérica. Quedaron cautivados, sobre todo, por la increíble diversidad de sus flores. Surgió un auténtico «culto a las orquídeas».

Cuando en el año 1821 floreció por primera vez en Inglaterra (ver página 84) una *Cattleya*, el acontecimiento causó sensación. A partir de ese momento las orquídeas fueron enviadas a millares hacia Europa. Muchas de ellas no soportaron el largo viaje marítimo desde América o Asia hasta Europa. Además se conocía muy poco acerca de las necesidades de estas exóticas plantas, pues muchos coleccionistas habían falseado los datos sobre su procedencia para no revelar y compartir con sus

Las orquídeas pueden convertirse en el centro de todas las miradas: Cymbidium *(delante) y* Brassocattleya *(detrás).*

Gigantes y enanos: Degarmoara *Flying High con flores de 15 cm de tamaño y* Oerstedella centradenia, *que tan solo mide 2 cm.*

competidores los lugares naturales de las mismas. En consecuencia, casi todas las orquídeas murieron al llegar a Europa. No fue hasta 1840 cuando Ward, médico inglés aficionado a las plantas, consiguió desarrollar el «Wardian Case», un gran contenedor de cristal cerrado en cuyo interior se concentraba humedad y una cálida atmósfera. A partir de entonces las plantas tropicales sobrevivieron durante meses sin precisar grandes cuidados. Desde ese momento se inició un insospechado auge en el mercado de las orquídeas.

Aún tuvo que pasar mucho tiempo antes de que las orquídeas se convirtieran en plantas de adorno al alcance de cualquiera. A principios del siglo XX se consiguió realizar el cultivo de plantas a partir de semillas; luego, con el desarrollo de la reproducción por meristemas (ver página 63) en los años 60 del siglo XX, se logró una increíble cantidad de descendientes idénticos de una misma orquídea. Las exóticas especies se convirtieron en asequibles plantas de interior que actualmente se pueden adquirir tanto en centros convencionales de jardinería como en supermercados.

La variada familia de las orquídeas

La familia de las orquídeas (*Orchidaceae*) es, desde el punto de vista filogenético, la más joven y rica en clases de las plantas florales. Se estima que existen unas 30.000 clases de orquídeas. A esto, y dado que se pueden cruzar muy bien entre sí, hay que añadir unos 150.000 híbridos creados por cultivo (ver páginas 82 y 83). Esto solo es posible debido a que las orquídeas, en contraposición a otras familias de plantas con flores, no se diferencian demasiado entre sí desde el punto de vista genético. Su carácter hereditario es tan parecido que se pueden combinar casi sin limitaciones.

Según su forma de vida las orquídeas se dividen en dos grandes grupos:
■ Orquídeas de suelo u orquídeas terrestres que crecen en tierra. Entre ellas se cuentan orquídeas de procedencia centroeuropea: *Cypripedium, Dactlylorhiza y Epipactis, así* como variedades tropicales: *Cymbidium* y *Paphiopedilum.*
■ La mayoría de las orquídeas tropicales y subtropicales son **epifitas**. Crecen sobre los árboles y generan raíces aéreas con las que, además de con las hojas, se produce la fotosíntesis y se absorbe agua de la humedad del ambiente. Entre ellas encontramos, por ejemplo, la *Cattleya, Odontoglossum* y *Phalaenopsis;* también existen orquídeas que viven sobre rocas, las denominadas litofitas. A ellas pertenecen algunas variedades de *Laelia.*

Información

ESTAS ORQUÍDEAS REVERDECEN Y FLORECEN

Muchas de las orquídeas que se ofrecen hoy en día son fáciles de cuidar y se mantienen sin grandes complicaciones:

■ *Burrageara* Nelly Isler y Living Fire.
■ *Cattleya intermedia* tipo Orlata y *Cattleya forbesii.*
■ *Dendrobium kingianum* y *Dendrobium griffithianum.*
■ *Laeliocattleya* Golddigger y Trick or Treat.
■ *Paphiopedilum* Actaeus y *Paphiopedilum* lantha Stage.
■ *Phalaenopsis equestris* y *Phalaenopsis* Ever-Spring King.

La patria de las orquídeas

Las orquídeas cultivadas como planta de interior proceden en la mayoría de las ocasiones de regiones tropicales y subtropicales. Quien conoce las necesidades de estas plantas encontrará sin ninguna dificultad un lugar en la casa que sea adecuado para aposentar su belleza.

Las orquídeas se han extendido por todo el mundo. Aparecen desde el trópico y los subtrópicos hasta otras zonas de clima más templado. Algunas clases incluso llegan a prosperar al norte del círculo polar, como, por ejemplo, algunas de las conocidas como *Orchis morio* (satirión). Las orquídeas colonizan todos los niveles de altura, desde la costa hasta la alta montaña. Las regiones de procedencia de las orquídeas se diferencian en cuatro zonas.

Las orquídeas propias de Europa, como Orchis Morio *(satirión) y* Dactylorhiza *son resistentes al invierno. En la Península Ibérica hay un centenar de especies.*

Lugares en los que las orquídeas se encuentran como en casa

■ **Trópicos:** las zonas con clima tropical se encuentran encima y debajo del Ecuador, en las costas y regiones más interiores de Sudamérica, Asia y África. En estos lugares se registran durante todo el año unas temperaturas muy uniformes y bastante elevadas. Incluso en los meses más fríos es raro que la temperatura media baje de los 18 °C. Las diferencias de temperatura entre el día y la noche son más elevadas que las oscilaciones térmicas registradas durante el año.
En los trópicos las cuotas de precipitación son muy elevadas. El sol de mediodía incide de forma directa con todo rigor y ejerce una poderosa capacidad de evaporación, por este motivo las orquídeas de estas zonas climáticas disponen de una protección contra esa pérdida de humedad, por ejemplo, en forma de hojas de estructura coriácea. Sin embargo, las orquídeas precisan de aire fresco y no prosperan adecuadamente en la atmósfera que se genera en los bosques tropicales, por lo que la mayoría de las veces crecen de forma epifita sobre las copas de los árboles, en los bordes de los bosques, en claros y a orillas de los ríos, así como en las laderas montañosas. De estas zonas climáticas proceden, por ejemplo, las orquídeas *Ascocentrum, Phalaenopsis* y *Vanda.* Todas ellas son de cultivo cálido (ver página 18) y prosperan perfectamente en zonas interiores de la casa.
■ Las orquídeas también aparecen en los denominados **bosques de nieblas.** Se desarrollan en los flancos de los Andes sudamericanos, en las zonas montañosas del sudeste asiático y en las estribaciones del Himalaya. En estas pendientes se forman de manera continuada unas masas de aire húmedo y cálido que se enfrían y condensan después en forma de niebla o lluvia. Aunque las plantas pierden su humedad en la zona central del día, esa pérdida se vuelve a compensar por las tardes y por las noches gracias a la elevada humedad relativa del aire. Entre el día y la noche impera una clara diferencia de temperatura, incluso se dan oscilaciones térmicas en el transcurso del año. De estos bosques procede, poco más o menos, el 60 % de todas las clases de orquídeas que, debido a la elevada humedad ambiental, suelen vivir de forma epifita (por ejemplo, la *Coelogyne* y algunas variedades de *Laelia* y *Sophronitis*). En el interior del hogar se pueden cultivar en habitaciones que dispongan de una cálida temperatura ambiental (ver páginas 18 y 19).
■ **Estepas de zonas elevadas:** en los territorios interiores de América central y del Sur, así como en África

Muchas orquídeas tropicales crecen epifitas y están acostumbradas a vivir bajo techumbres de hojas en las inmensas selvas vírgenes. Precisan de aire cálido y húmedo, pero no soportan la incidencia directa del sol.

y el sudeste asiático existen pequeñas zonas esteparias de alturas que oscilan entre los 1.500 y 3.000 metros; igualmente mesetas que sobresalen de las zonas tropicales que las rodean. Aquí surgen cambios de días cálidos y secos con noches frías. No es extraño encontrar caídas de temperatura desde los de 35 °C hasta algún grado por encima de cero. En estas regiones crecen con frecuencia orquídeas terrestres y solo en lugares de alta humedad ambiental aparecen las variedades epifitas. Las orquídeas de estas zonas climáticas son, por ejemplo, las *Cymbidium*, algunas variedades de *Dendrobium* y las *Oncidium*. Su cultivo es de tipo templado hasta frío (ver página 18).

■ **Zonas templadas:** en la zona climática eurasiática y norteamericana existen claras diferencias entre el verano y el invierno. Aquí solo se dan orquídeas terrestres como, por ejemplo, *Cypripedium, Dactylorhiza, Ophrys, Orchis* o *Serapias*. Todas estas orquídeas soportan las temperaturas frescas y también pueden ser cultivadas al aire libre.

Proteger las orquídeas

Hoy en día son muchas las especies de orquídeas, sobre todo las tropicales, que se encuentran en peligro por la destrucción de sus espacios vitales así como por la recolección incontrolada de las plantas. Algunas especies se han llegado a perder, lo mismo que ha ocurrido con otras muchas plantas y animales. Para evitar esta explotación masiva, en 1973 fueron muchos los países que firmaron en Washington un acuerdo de protección de variedades denominado «Convention on international trade of endangered species» («Convenio sobre comercio internacional de especies amenazadas», CITES). Según este acuerdo, quedó prohibida la comercialización de las variedades amenazadas por peligro de extinción.

Una excepción al acuerdo la constituyen las formas silvestres que después hayan sido objeto de cultivo. Las autoridades encargadas de protección de la naturaleza lo certificaron en la normativa CITES. Según las leyes de importación y exportación estas especies pueden entrar legalmente en la Unión Europea. Dado que hoy en día todas las orquídeas están acogidas a la protección de las especies, para los híbridos también es necesario cumplir con la normativa CITES.

Las características típicas de las orquídeas

Las orquídeas resultan seductoras por muchos de sus aspectos: sus flores pueden asemejarse a una araña o parecerse a los pensamientos o a unas zapatillas. A pesar de todo se pueden reconocer fácilmente por su floración, sus hojas o su crecimiento.

Las orquídeas son una familia de plantas de una rica variedad. Incluso entre plantas de parentesco cercano pueden observarse grandes diferencias. Sin embargo, su forma estructural es siempre la misma: las flores están constituidas por seis elementos y la nervadura de sus hojas siempre discurre en paralelo, ya que las orquídeas son plantas monocotiledóneas. Sus brotes desarrollan primero una sola hoja.

La fascinación de la flor de las orquídeas

Las flores de las orquídeas tienen simetría bilateral, es decir, las flores están divididas por un eje vertical de simetría que las separa en dos partes iguales.

▪ Cada flor de orquídea está compuesta de dos círculos concéntricos de elementos con tres hojas cada uno. Las externas se denominan sépalos y las internas pétalos). En el semicírculo interior el pétalo central forma el labelo. Puede tener forma de embudo o de tubo, en algunos casos puede ser plano y la mayoría de las veces está coloreado de forma distinta al resto de la flor. En el caso de las orquídeas tipo «zapatito de dama», el nombre viene justificado por su forma; en otros casos se prolonga como una especie de espolón dirigido hacia atrás o bien presenta unas pequeñas verrugas o protuberancias.

▪ Las flores de las orquídeas tienen una característica única de esta familia de plantas: los órganos sexuales masculino y femenino, pistilo y estambres, crecen unidos y forman la columna o ginostemo.

Sobresale del centro de la flor y en muchas ocasiones está decorado con un lunar coloreado.

▪ Los estambres forman los firmes y peciolados polinios. Están situados en la punta de la columna, a la hora de la polinización por parte de los insectos, se transfieren como un todo a la siguiente flor. Además, a causa de su tamaño, los polinios, al contrario de lo que ocurre con el polen de otras flores, no provocan alergias en los seres humanos.

▪ Justo por debajo de los polinios se asienta el estigma femenino. Está aislado de los polinios, por lo que la autopolinización sólo ocurre en casos muy raros.

▪ Casi todas las flores de las orquídeas son hermafroditas, aunque existen excepciones. La *Catasetum*, por ejemplo, dispone de dos formas diferenciadas de flores; cada una de estas formas tiene una columna en la que solo se forman polinias o estigmas.

▪ La parte inferior del pistilo se denomina ovario. En el caso de las orquídeas es inferior, es decir, se asienta entre el pedúnculo y la flor. Tras la polinización se desarrolla hasta formar una cápsula llena de millones de semillas. Para germinar, las semillas precisan de la ayuda de un hongo especial que infecta las raíces y vive en simbiosis con la planta.

▪ En la mayoría de las orquídeas el pedúnculo se gira 180 °C antes de la apertura de la flor, de tal forma que el labelo mira hacia abajo. Este proceso se llama resupinación.

▪ La forma del labelo y sus componentes (espolón, lóbulos laterales) son, junto con la columna y el número de polinias, unos

Estructura de la flor: sépalo dorsal (1a), sépalos laterales (1), pétalos (2), labelo (2a), columna (3).

Las orquídeas pueden tener un crecimiento monopodial (un único tallo, a la izquierda) o simpodial (varios tallos, a la derecha).

criterios muy importantes para poder diferenciar variedades que son parecidas entre sí.

Monopodiales y simpodiales

Existen orquídeas con dos formas distintas de crecimiento. A la hora de trasplantarlas y reproducirlas por partición resulta importante poder reconocer esta forma de crecimiento, pues en cada caso se debe proceder de una forma distinta (véanse las páginas 38, 39, 60 y 61).

■ Las orquídeas monopodiales solo disponen de un tallo o retoño que crece por su ápice; son escasas las ocasiones en que forman tallos laterales. Los representantes más conocidos de esta forma de crecimiento son las *Angraecum, Phalaenopsis* y *Vanda*. El porte puede ser horizontal (como el caso de la *Phalaenopsis*) o alargado y trepador (como le ocurre a la *Vanda*). En las condiciones adecuadas, en la parte superior del tallo se forman hojas nuevas al tiempo que mueren las situadas en la parte inferior.

■ Las orquídeas simpodiales tienen varios tallos. Debido a esta forma de crecimiento cada año en la parte del cepellón, bien sea trepador o reptante, se forman nuevos vástagos. En algunas ocasiones los tallos disponen de unos órganos abultados esféricos u ovoides (pseudobulbos) en los que almacenan agua y nutrientes con los que superar las épocas de sequía. A veces los bulbos viejos ya no forman más hojas, se denominan retrobulbos. Las plantas con pseudobulbos necesitan a menudo de un período de reposo para poder florecer. Entre ellas encontramos a la *Cattleya* y a las variedades de *Dendrobium*.

Variedad de hojas

Del tamaño y la firmeza de las hojas de las orquídeas se pueden sacar muchas conclusiones sobre la humedad atmosférica y la intensidad luminosa del lugar de procedencia de la planta y trasladar tales conclusiones a las necesidades del cultivo en interior. Las orquídeas de zonas umbrías con elevada humedad ambiental forman hojas finas y delgadas, ya que no precisan protegerse contra la deshidratación. Las orquídeas de lugares secos y cálidos tienen hojas gruesas y recubiertas con una capa semejante a la cera que las protege de la sequía. Unas grandes hojas indican que la planta ha crecido en un lugar con poca luz, ya que la mayor superficie se utiliza de forma óptima para aprovechar su escasa incidencia. La mayoría de las veces las hojas están ordenadas de forma alternada en el tallo, en ocasiones se distribuyen en espiral.

Raíces con envoltura

Las raíces de las orquídeas están envueltas por una capa esponjosa y blanquecina denominada velamen, que puede extraer del sustrato o del aire tanto agua como nutrientes; éstos son almacenados y más tarde, poco a poco, los cede a la raíz principal. Esto es fundamental para las orquídeas cuyas raíces no crecen en tierra, sino que se fijan a los árboles por medio de raíces aéreas. En estado húmedo las raíces son verdes y son capaces de realizar la fotosíntesis; éste es un motivo más por el que están de moda las macetas trasparentes. La *Phalaenopsis*, por ejemplo, crece mucho mejor en este tipo de macetas. En épocas de falta de humedad el velamen la aporta a las raíces y evita que se sequen.

Una luz en la jungla de los nombres

Los trabalenguas como *Brassolaeliocattleya* no constituyen ningún problema para los cultivadores: si se conoce el sistema usado para la nomenclatura, el nombre nos revela los padres de los que procede la planta así como sus características.

Existen varios motivos por los que resulta muy útil preocuparse por los nombres botánicos de las orquídeas. Muchas de las denominaciones de estas flores carecen de traducción a un idioma específico y solo se utiliza la nomenclatura científica. Únicamente encontramos nombres traducidos en algunas variedades locales. Además, tales nombres no suelen ser fijos y una misma orquídea puede recibir denominaciones distintas en los diversos territorios de un mismo país. En cambio, el nombre botánico correcto permite localizar bibliografía descriptiva de las necesidades y propiedades de una determinada planta.

La denominación reconocida actualmente es Oerstedella centradenia, *pero es frecuente que se siga empleando el nombre de* Epidendrum centradenium.

Sistematización: nombre científico

El naturalista sueco Carl von Linnè (Carlos Linneo) introdujo en el siglo XVIII la denominación binomial, según la cual el nombre de cada clase de animal o planta está formado por la denominación del género, que se escribirá con la inicial mayúscula y a continuación el nombre de la especie escrito en minúsculas. Por ejemplo, *Phalaenopsis equestris*. La palabra *Phalaenopsis* hace referencia al género, *equestris* a la especie. Linneo clasificó todas las orquídeas tropicales que eran conocidas en su época y crecían sobre los árboles, el género *Epidendrum* (Epi = sobre; dendro = árbol). Pero cuantas más especies se describieron, más claro quedó que algunas de estas variedades no podían ser incluidas dentro del género *Epidendrum*, sino que había que crear otros géneros nuevos.

Las nuevas orquídeas fueron definidas por sus descubridores o por sus clientes europeos. Por eso fue inevitable que algunas especies fueran descritas con una multiplicidad de formas y recibieran distintas denominaciones. No obstante, resultó muy útil el hecho de asignar al nombre científico de dos palabras la identificación del descriptor de la planta (taxónomo). Así, por ejemplo, detrás de *Epidendrum ciliare* aparece una «L», por Linneo. Más tarde Robert Brown incluyó esta orquídea entre las *Brassavola* y hoy en día lleva el nombre *Brassavola cuculatta* (L.) R. Br. Sin embargo, el nombre antiguo no quedó anulado tras la nueva reagrupación.

La Brassavola nodosa *(L.) Lindl*
fue denominada en principio
Epidendrum nodosa *(L.).*

Subgéneros y secciones

Algunos géneros de orquídeas son
muy amplios. Así, por ejemplo, al
género de las *Dendrobium*
pertenecen hasta 1.200 especies y
entre las *Oncidium* se incluyen más
de 1.000 especies. Para un mejor
resumen se las ha dividido según
las características generales de
crecimiento en subgéneros o en
secciones florales de acuerdo con
los atributos de sus flores.

Variedades y clases

En ocasiones dos plantas de una
especie se diferencian tan solo por
una o dos características. Estas
diferencias surgen por vías
naturales. Por ejemplo, que una flor
sea blanca en lugar de rosa. En esta
situación no se describe de
inmediato una nueva especie, sino
que la planta blanca pasa a ser una
variedad de la anterior.
En tales casos detrás del nombre
formado por dos palabras se
incluye la abreviatura «var.», y esa
variedad se nombra por su
característica en latín o griego. Para

el color blanco sería pues: var. *alba.*
Si por medio de la cría o del cultivo
de tejidos (véanse las páginas 62 y
63) se crean nuevas variantes de
una especie, entonces se denomina
como clases. Recibirán un nombre
individual asignado por su
cultivador. Estos nombres, elegidos
libremente, se colocan detrás del
nombre de la especie o la variedad
y se escriben entre comillas.

Híbridos de géneros

Por lo general en el mundo de las
plantas se pueden cruzar dos
especies distintas, pero resulta
mucho más difícil si se trata de
géneros. Las orquídeas suponen
una excepción: se pueden cruzar
tanto dos especies como dos
géneros (ver páginas 8, 9, 82 y 83).
Los híbridos que se crean a partir
de dos géneros reciben su nuevo
nombre a partir del de sus
progenitores. Así, por ejemplo, de
una *Vanda* y una *Ascocentrum* se

forma el híbrido *Ascocenda.* Si se
cruzara con un tercer género, el
primer cultivador debe inventar un
nombre terminado en «ara» para
este género. El cruce de *Ascocenda*
con *Neofinetia* da como resultado
Nakamotoara, que recibe su
nombre del cultivador japonés
Nakamoto. La mayoría de los
obtentores registran sus cruces en
Londres, en la *Royal Horticultural
Society.* Esta institución gestiona
todos los nombres en la «Sander's
lists of orchid hybrids», de tal
forma que el cruce registrado
reciba un nombre de carácter
universal. Si un cruce todavía no
está registrado, detrás de su
nombre aparecerá la abreviatura
«n. r.» (no registrado). Desde 2005
la RHS han incluido en sus listas
los nombres más actualizados. Son
pocos los cultivadores que no se
rigen por las indicaciones de la
RHS y utilizan sus propios
nombres comerciales.

SOCIEDADES QUE OTORGAN PREMIOS A LAS ORQUÍDEAS

D.O.G.	Asociación Alemana de Orquídeas	Medallas internacionales ordenadas de acuerdo con su importancia:
RHS	Real Sociedad de Horticultura	
S.O.G.	Asociación Suiza de Orquídeas	**AM** Premio al Mérito
		FCC Certificado de Primera Categoría
EOC	Conferencia Europea de Orquídeas	**HCC** Certificado de Encomio
YOGA	Asociación japonesa de cultivadores de orquídeas	Categorías de valoración de la D.O.G:
		(B) para especie botánica
WOC	Conferencia Mundial de Orquídeas	**(H)** para híbridos
		(K) por buen cultivo
		(A) exposición

La elección adecuada

Las orquídeas tienen diversas necesidades en cuanto a luz, sustrato y agua. Si se eligen bien las clases y los híbridos y se colocan dentro de casa en un lugar adecuado, estas bellezas tropicales se convierten en unas robustas compañeras domésticas de muy larga vida.

Ya provengan de una atractiva oferta en el supermercado o se trate de una clase poco común de orquídea disponible en un centro de jardinería especializado: antes de la compra es necesario pensar dónde se va a colocar la orquídea y elegir solo unas plantas de buena calidad a las que se pueda ofrecer un hogar adecuado, es decir, el mejor lugar para ellas dentro de la casa. Así se evitan fracasos y además se ahorra dinero. Por ejemplo, la *Phalaenopsis*, que precisa de calor, nunca se sentirá bien en dormitorios frescos y sin embargo, la *Paphiopedilum*, que necesita temperaturas frescas, nunca desplegará todo su esplendor en un salón con buena calefacción. Las «orquídeas para principiantes», las que son fáciles de cuidar, como, por ejemplo, la *Dendrobium kingianum*, *Paphiopedilum Actaeus* o la *Phalaenopsis equestris* permiten alcanzar el éxito sin demasiado esfuerzo. Quien tenga algo más de experiencia puede atreverse con variedades más exigentes, como las *Angraecum, Rhynchostylis* o bien *Paphiopedilum* de la sección *Brachypetalum*.

Lo que desean las orquídeas

Las orquídeas necesitan una elevada humedad atmosférica pues su procedencia, tropical o subtropical, las ha acostumbrado a ella, son muy pocas las excepciones a esa apetencia. También precisan de bastante luz: la mayoría no alcanzaría su desarrollo óptimo si no dispusieran de ella durante 12 horas al día. Sin embargo, si se las deja expuestas a pleno sol de mediodía, sufren quemaduras. Necesitan, pues, una «sombrilla» fabricada a partir de las hojas de las plantas o bien de cualquier otro tipo de protección contra los rayos solares. Después de numerosos cultivos, hoy en día se pueden encontrar orquídeas adecuadas para cualquier lugar en la casa. Como primer alojamiento suele bastarles con un hueco en la repisa de una ventana que esté orientada al oeste o al este.

Si aumenta su colección, la repisa se puede transformar en un ventanal de orquídeas o bien se pueden colocar todas las plantas en una vitrina adecuada para ellas. Y quien tenga en casa un jardín de invierno o un invernadero, puede conseguir allí un verdadero paraíso para estas exóticas plantas.

En el caso de la Phalaenopsis *(foto de la página de la derecha) dominan las flores. Las orquídeas de hoja como la* Macodes petola *(arriba) destacan por el dibujo que aparece en sus hojas.*

¿Qué temperatura precisan las orquídeas?

Las orquídeas proceden de diversas regiones climáticas. A muchas de ellas les gusta el calor, otras son más moderadas o incluso existen las que prefieren los climas frescos. Todas aprecian que por las noches refresque algo con respecto a la temperatura del día y a algunas les gusta pasar el verano al aire libre.

Las primeras orquídeas se cultivaron en Europa según el criterio general de un clima de bosque pluvial tropical, muy cálido y con una elevadísima humedad ambiental. Pero con esas directrices no se obtuvieron todos los éxitos que se esperaban. En aquellos primeros momentos se desconocía que en los lugares de origen de estas plantas existían cambios muy radicales en los intervalos de temperatura, de luz y de humedad del ambiente; hubo pues que adaptar el cultivo de acuerdo con tales necesidades. Hoy en día las orquídeas se subdividen en tres grupos respecto a sus exigencias de temperatura (ver páginas 10-11 y la tabla de la página 119).

Se ayudan mutuamente para la floración:
Rossioglossum, Laeliocattleya *y* Phalaenopsis *(de izquierda a derecha).*

¿Clima cálido, moderado o fresco?

■ Las orquídeas **amantes del calor** proceden de la calidez de los trópicos. Necesitan durante todo el año un intervalo de temperaturas diurnas de 20 a 25 °C y por las noches no menos de 16 °C. En el verano y durante períodos de tiempo poco prolongados son capaces de soportar temperaturas más elevadas, pero en tales casos también precisan de mayor humedad del aire. A este grupo pertenecen las *Phalaenopsis* así como también las *Aerides*, *Ascocentrum* y *Vanda*, entre otras.

■ Las orquídeas que se cultivan con temperaturas **suaves o moderadas** precisan en verano de una temperatura diurna de al menos 20 °C, en invierno solo de 18 °C. En temperaturas entre suaves a cálidas se cultivan las orquídeas procedentes de los bosques de nieblas, por ejemplo, las *Cattleya* y algunas secciones de *Dendrobium*; las orquídeas que proceden de zonas elevadas, de clima suave a fresco, son la *Odontoglossum* y la *Miltonia*.

■ Las orquídeas que proliferan con temperaturas **frescas** proceden de regiones climáticas de moderadas a frescas. Durante el día y en invierno lo mejor es que se encuentren a unos 18 °C y en verano a 20 °C, también pueden soportar, pero por poco tiempo, temperaturas de 8 a 10 °C. Si la temperatura asciende por encima de los 28 °C, es necesario elevar también la humedad ambiental. A este grupo pertenecen, por ejemplo, las *Coelogyne*, algunas clases de *Dendrobium* y las *Rossioglossum*. Pero puesto que algunas orquídeas del mismo género pueden ser muy

La *Dendrobium* Stardust *(izquierda y derecha) y el híbrido de* Dendrobium nobile *(en el centro) se desarrollan muy bien en el fresco hueco de la escalera.*

distintas en cuanto a sus exigencias de temperatura, a la hora de comprarlas, es imprescindible dejarse aconsejar para conocer a qué temperatura va a prosperar mejor la nueva orquídea, que solo en un lugar con temperatura adecuada a ella prosperará y florecerá durante largo tiempo.

Descenso nocturno de la temperatura

Muchas orquídeas, por ejemplo, las procedentes de los bosques de nieblas o de regiones más templadas, están acostumbradas a que por las noches refresque más que por el día. Esta oscilación térmica sirve a las orquídeas de estímulo para la floración.

Para que estas orquídeas, incluso cultivadas en casa, puedan seguir floreciendo año tras año, por las noches deben disponer de una temperatura menor que la del día. Esto es lo que se denomina descenso nocturno de la temperatura. Puede variar según la clase de orquídea, pero esa bajada no debe ser inferior a los 4 °C.

■ Las orquídeas amantes del calor necesitan un descenso nocturno de 4 °C, el intervalo de temperatura debe quedar entre los 16 y los 21 °C.

■ Las orquídeas que se cultivan con temperatura suave, deben estar por

las noches a no menos de 10 °C, en invierno a un máximo de 16 °C y nunca deben bajar de los 10 ó 12 °C. La diferencia óptima es de 6 °C.

■ Las orquídeas cultivadas a temperatura fresca deben encontrarse por la noche con tanto frío como sea posible. La diferencia de temperaturas debe ser al menos de 6 °C.

Veraneo al aire libre

De mediados de primavera a finales de verano a las orquídeas de zonas frescas y suaves les viene muy bien quedarse al aire libre, donde la oscilación de temperatura entre el día y la noche es más acusada que en el interior de una vivienda (ver «Listado de comprobación»). Así las orquídeas cultivadas se curten y

por las noches, con la condición de que las hojas y las flores no estén húmedas, llegan a soportar hasta 5 °C.

Sin una fase de reposo no se conseguirán flores

Las orquídeas cultivadas en temperaturas suaves precisan, además del descenso nocturno, de un período de reposo para volver a florecer. Para propiciarlo, durante el verano se deben colocar las plantas al aire libre. Si no se dispone de un jardín, para la pausa de invierno se colocarán las plantas durante dos meses en una habitación más fresca y se regarán mucho menos. Las orquídeas cultivadas en clima fresco precisan de un reposo si las temperaturas diurnas oscilan entre 12 y 16 °C, si son de clima entre fresco y suave precisan estar a 14 ó 16 °C; las orquídeas de clima suave a cálido no precisan de ninguna notable pausa de reposo. Basta que en invierno se las coloque en un lugar algo más fresco y se rieguen menos. Las orquídeas amantes de temperaturas cálidas no precisan de fase de reposo.

Información

FRESCO DEL VERANO PARA LAS ORQUÍDEAS

Así se comprueba si se dispone de adecuada zona de verano:

✔ ¿Hay disponible en el jardín un lugar protegido del calor, del sol directo y una lluvia prolongada?

✔ ¿Se tienen suficientes árboles con hojas de cuyas ramas se puedan colgar las macetas con orquídeas? Las coníferas no son adecuadas.

✔ Si faltan árboles, habrá que colocar o colgar las plantas de forma que no toquen con el suelo y así evitar que los insectos asalten las macetas.

Luz meridional y ambiente húmedo

Las orquídeas son amantes de una elevada humedad ambiental, pues acostumbran a tomar directamente el agua de la atmósfera que las rodea. Además precisan disfrutar de muchas horas de luz. ¡Pero nada de sol directo!

Dado que la mayoría de las orquídeas que se cultivan como plantas de interior proceden de regiones de los bosques de nieblas y las pluviselvas tropicales, están acostumbradas a elevadas temperaturas y elevada humedad atmosférica. Se mantienen día y noche en lugares ricos en aire fresco y oxigenado y durante todo el año reciben casi 12 horas diarias de luz.

Abundante humedad ambiental

Para tener éxito a la hora de cuidar las orquídeas, hay que preocuparse de que la humedad del aire se

Si en el invierno las orquídeas van a estar en un rincón oscuro, se debe utilizar luz artificial.

ajuste a las necesidades de las plantas. Las orquídeas se desarrollan de la mejor manera posible en viviendas cuya humedad relativa de aire oscile del 50 al 80%; esos valores son también los más adecuados para los seres humanos, aunque es extraño encontrarlos en las viviendas modernas. Existen métodos muy sencillos para elevar esa humedad ambiental (ver páginas 46-47).

El aire caliente absorbe más agua

La humedad del aire indica el contenido de agua evaporada que existe en el ambiente. La mayoría de las veces se da en porcentaje y depende de la temperatura del lugar. El aire a una temperatura de 10 °C que contenga 10 g de vapor de agua por metro cúbico tiene una humedad ambiental relativa del 100%. Para que con una temperatura de 22 °C tenga también un 100% de humedad, debe contener 20 g de vapor de agua por cada metro cúbico. Para el cuidado de las orquídeas esto significa que en el caso de temperaturas más elevadas se debe elevar el contenido de vapor de agua para obtener, por ejemplo, una

humedad relativa del 80%. Solo así se conseguirá que las plantas prosperen de forma adecuada.

Medida de la humedad del aire

La humedad del aire se mide con un higrómetro, y el mejor de estos instrumentos es el de cabello. Contiene un pelo o fibra sintética que se alarga al aumentar la humedad ambiental. La precisión de tales aparatos suele verse afectada por el paso del tiempo y se debe proceder alguna que otra vez a reajustarlos. Esto solo se puede hacer con los higrómetros de más alta calidad y precio, y se realiza por medio de un tornillo de regulación. Se envuelve el equipo en un pañuelo mojado y se deja así durante varias horas hasta que la aguja señale el 100% de humedad. También se puede encargar el reajuste a un comercio especializado.

¿Cuándo necesitan las orquídeas un aire más húmedo?

La humedad necesaria en el aire depende también de la forma en que hayan sido cultivadas las orquídeas:

■ Las orquídeas en maceta se desarrollan adecuadamente con un 50 ó 60% de humedad relativa del aire, pues a través de las raíces se hacen con la cantidad adicional de agua que necesiten. El 97%, poco más o menos, del agua del riego se evapora por las hojas y el sustrato se ocupa de que la planta disponga de mayor humedad a su alrededor. Por eso apenas hace falta pulverizar la planta para aportar más humedad.

Las plantas complementarias, tanto en el alféizar de la ventana como en el jardín de invierno, también protegen a las orquídeas de las peligrosas radiaciones solares del mediodía.

▪ Las orquídeas cultivadas de forma epifita que, por ejemplo, están sujetas a una madera o un tronco o colocadas en una cesta (ver páginas 36-37), solo pueden tomar la humedad del aire ambiental. Por eso necesitan en ese aire una humedad mínima del 60%, el valor óptimo oscila entre el 70 y el 80%.

▪ La humedad relativa del aire depende también de que en los alrededores de las orquídeas existan otras plantas (ver página 23), pues se encargan de emitir vapor de agua a través de sus hojas y eso sirve para incrementar la humedad ambiental.

▪ La utilización de un espray para pulverizar agua y aumentar la humedad solo es necesario en el caso de plantas jóvenes o de las que hayan sido recién plantadas. No obstante este procedimiento únicamente sirve a corto plazo y se hace necesario elevar de forma adicional esta humedad a base de colocar recipientes con agua en los radiadores, o bien de disponer sobre las repisas de las ventanas unas bandejas especiales para la humedad (ver páginas 46-47).

Muchas horas de luz

Como todas las plantas, las orquídeas precisan de la luz para poder realizar la fotosíntesis. Con la ayuda de la luz solar y del colorante verde clorofila contenido en las hojas, a partir del agua y del dióxido de carbono del aire se forman carbohidratos a modo de sustancias nutritivas de reserva. Además, durante este proceso liberan oxígeno.

Casi todas las orquídeas crecen en las selvas vírgenes a la sombra de otras plantas y en consecuencia no soportan el efecto directo de los rayos solares. Sin embargo, su condición de plantas tropicales y subtropicales las tiene habituadas a recibir casi siempre la misma cantidad de horas de luz al día. En los alrededores del Ecuador, la luz diurna llega a mantenerse durante unas 12 horas a lo largo de todo el año. En cambio, en Europa, puede darse el caso de que haya países que cuenten con 16 horas de luz en verano mientras que otros lugares la bajada de esa insolación se rebaje drásticamente en invierno: puede alcanzar apenas las 2 horas diarias.

La intensidad de luz adecuada

También la intensidad de la luz cambia con gran vigor a lo largo del día y del año.

▪ En un día normal de verano la intensidad de la luz oscila entre los 50.000 y 100.000 lux, en primavera y otoño asciende a unos 30.000 lux. En un día nublado de invierno la intensidad lumínica solo llega a 5.000 lux y, además, se da durante muy pocas horas. Según sea su especie, una orquídea puede necesitar una media de 10.000 a 30.000 lux para poder crecer correctamente. Las clases que toleran la sombra, por ejemplo, las del género Odontoglossum, tienen bastante con 5.000 ó 10.000 lux; las ávidas de luz, como las *Phalaenopsis*, exigen 25.000 lux. La intensidad lumínica depende del lugar de la habitación en que estén colocadas: a un metro de la ventana la intensidad de luz disminuye más del 50%. En las viviendas que tienen árboles junto a sus ventanas puede darse el caso de que una intensa sombra reduzca la cantidad de luz que recibe la orquídea. En lugares oscuros y durante los meses de invierno es necesario, en consecuencia, disponer de una iluminación adicional que coadyuve al óptimo desarrollo de las orquídeas (ver páginas 46-47). Las orquídeas con carencia de luz suficiente pueden dejar de formar flores o, tal y como le ocurre a la *Phalaenopsis*, llegar a deshacerse de sus primordios florales.

Y a la inversa: también un exceso de intensidad lumínica puede resultar perjudicial para las plantas. Así, por ejemplo, las orquídeas no soportan la radiación solar directa durante la primavera y el verano. En esta época es imprescindible ponerlas en sombra (ver página 46) para evitar que sus delicadas hojas sufran quemaduras solares.

Aquí se encuentran bien las orquídeas

Da igual que sean en la luminosa repisa de la ventana o en una vitrina para plantas, las orquídeas se encuentran muy bien en cualquier lugar de la casa, basta con estar protegidas de un sol intenso y que el resto de plantas que las rodean sirvan para mantener un clima adecuado.

Ya sea como plantas independientes o en comunidad con congéneres u otro tipo de plantas, las orquídeas (situadas en cualquier rincón) se transforman en el foco de interés exótico de la casa.

Orquídeas en la repisa de la ventana

En la mayoría de las ocasiones, las orquídeas encuentran en la repisa de la ventana su nuevo hogar, ya que destacan y se las puede atender con gran facilidad. Una ventana para orquídeas debe ser clara aunque la radiación solar a mediodía no debe resultar demasiado intensa.

■ La ubicación ideal para las orquídeas viene definida por un amplio ventanal que esté orientado al oeste o al este. Casi siempre ofrece luz suficiente y la mayoría de las orquídeas se acomoda muy bien allí a lo largo de todo el año. Hay que tener en cuenta que la ventana no tenga unos marcos muy anchos ni que los parteluces de ventanas, balcones o jardines de invierno arrojen exceso de sombra. En este caso es necesario aportar iluminación adicional.

■ Las ventanas orientadas al sur solo son apropiadas si reciben sombra a mediodía, sobre todo en primavera y en verano. En este caso los balcones, las casas de los vecinos o los árboles con mucho follaje son útiles al aportar una saludable sombra. Las coníferas tienen la desventaja de que también dan sombra en invierno. Si en general no se dispone de estos «proveedores de sombra», a mediodía se debe proteger a las orquídeas del exceso

Las bandejas de la repisa de la ventana se ocupan, en épocas secas, de incrementar la humedad ambiental.

Una vitrina repleta de orquídeas constituye, sobre todo en la época de la floración, un espectáculo de auténtico exotismo.

de sol a base de estores, cortinas, marquesinas o cualquier otro sistema (ver página 46).

■ Una ventana orientada al norte solo suele resultar adecuada si es clara y carece de cualquier tipo de sombra. Sin embargo, esa orientación hace que en muchas ocasiones la planta sufra una carencia lumínica y no vuelva a florecer. En estas ventanas las orquídeas únicamente se desarrollan si disponen de luz adicional (ver páginas 46-47).

■ Las orquídeas prosperan de forma notable en ventanas claras de la cocina y del cuarto de baño. En tales lugares la humedad ambiental suele ser más elevada.

■ En las viviendas actuales, debajo de cualquier ventana suele haber un radiador de calefacción que hace que la planta tenga los «pies calientes», pero existe el inconveniente de que en invierno la humedad del aire quizá llegue a bajar del 50%. En este caso es imprescindible elevar tal humedad a base, por ejemplo, de bandejas de evaporación (ver páginas 46 y 47).

■ Lo mejor para el cuidado de las orquídeas es disponer de una segunda ventana en la que las plantas puedan estar algo más frescas durante su período de descanso (ver página 19). Puede ser apropiada una ventana clara en un pasillo, un dormitorio o cuarto de invitados, donde la calefacción no es tan potente.

■ Las repisas de las ventanas en muchas ocasiones se pueden convertir en ventanas de orquídeas o de flores en general (ver página 27). Ofrecen a las plantas un adecuado microclima, ya que los cristales laterales se ocupan de que haya una constante humedad del ambiente.

Flores detrás del cristal: las vitrinas de orquídeas

Una vitrina de orquídeas no es otra cosa que una caja de cristal con una abertura. En ella encuentran su hogar ideal las orquídeas que adoran al calor, las de poco crecimiento y las cultivadas sobre trozos de ramas que viven como epifitas (véanse las páginas 36 y 37), pues allí dentro disponen de elevada temperatura y humedad uniforme. Además una vitrina siempre es una joya que decora cualquier habitación y que, a base de luces suplementarias, convierte los rincones oscuros en perfectos lugares para el cultivo de las orquídeas.

Este tipo de vitrinas no se suele comprar. Lo mejor es fabricarlas con trozos de cristal cortados como si se fuera a preparar un terrario. Esto supone la ventaja adicional de que el tamaño de la vitrina se puede ajustar a los deseos y la disponibilidad de espacio del constructor. También se puede utilizar un antiguo terrario o acuario que esté en desuso. La pared posterior y las laterales pueden prepararse, de acuerdo con los gustos de cada uno, con madera o aluminio.

Con un equipamiento adecuado, en la vitrina se puede generar el microclima ideal para el cultivo:

■ Puesto que las orquídeas en

Información

PLANTAS COMPLEMENTARIAS PARA CONSEGUIR UN BUEN CLIMA

■ Para vitrinas de 40 × 40 × 40 cm de tamaño resultan muy adecuadas:
Bromelias, difembaquias (*Dieffenbachia*), criptantos (*Cryptanthus bivittatus*), cordilines (*Cordyline*), calateas (*Calathea*), ceropegias (*Ceropegia woodii*), marantas (*Maranta*), davalias (*Davallia bullata*).

■ Para repisas de ventana, jardines de invierno e invernaderos:
Grevilleas (*Grevillea robusta*), filodendros (*Philodendron*), ficus (*Ficus*), paquistaquis (*Pachystachis lutea*), costillas de Adán (*Monstera*), cuernos de alce (*Platycerium*).

vitrina también necesitan aire fresco, en la parte delantera o superior del receptáculo debe existir una abertura para que pueda circular el aire. La abertura debe ser bastante amplia para que sea accesible el interior y se puedan cuidar las plantas con comodidad.

Tanto las minicattleyas como la Sophrolaeliocattleya *encuentran sitio en cualquier pequeño rincón.*

■ Para conseguir aire fresco también son adecuados los miniventiladores de los ordenadores. Han mostrado ser muy adecuados los pequeños ventiladores de 12 V que se alimentan de una fuente de 6 V. No provocan corrientes intensas, sino más bien un leve movimiento de aire que las orquídeas toleran estupendamente.
■ Una bandeja plana impermeable colocada sobre el suelo de la vitrina servirá para mantener una elevada humedad del aire. Encima de la bandeja se coloca una rejilla (de venta en el comercio especializado). La bandeja se llena con agua la cual se evaporará poco a poco.
■ En lugar de bandejas del suelo también se puede disponer un

minihumidificador destinado a aumentar la humedad ambiental. Se coloca un pequeño recipiente con agua en el suelo de la vitrina y el humidificador la vaporiza a base de ultrasonidos. Solo hay que preocuparse de que no falte el agua.
■ Un tipo especial de vitrina es el paludario: combinación de terrario y acuario que, en consecuencia, consta de una pileta con agua y un trozo de tierra; es magnífico para aficionados de anfibios y reptiles. En el clima protegido del paludario crecen muy bien las orquídeas epifitas amantes del calor. Los anfibios o reptiles prestan a este refugio un ambiente de marcado exotismo.

Oasis de orquídeas en veranda

Las verandas con su elevada humedad del aire y sus zonas de distinta temperatura ofrecen condiciones ideales para muchas orquídeas: en las ventanas se encuentran bien las orquídeas amantes de la claridad, en el lateral de la casa y (ver «Información» de la página 23) complementadas con las orquídeas que necesitan semisombra hallan su lugar más adecuado.
■ En las verandas climatizadas se desarrollan las orquídeas de zonas cálidas.
■ En las verandas algo cálidas las noches son más frescas que en las viviendas. Aquí consiguen su máximo esplendor las orquídeas que necesitan una temperatura de fresca a templada.
■ Un cultivo eficaz de orquídeas depende en lo fundamental del descenso nocturno de las

temperaturas (ver página 19). Por lo tanto la elección de la orquídea está sujeta a la temperatura nocturna que impere en esa veranda. Para los frescos es necesario elegir orquídeas que hayan sido cultivadas en ese ambiente fresco. Si la veranda se calienta por la noche, se pueden elegir orquídeas que sean amantes de las temperaturas cálidas.
■ En las verandas la temperatura suele variar de una zona a la otra. Las paredes exteriores suelen ser, en especial por las noches, mucho más frías que en la parte que da a la pared de la casa. Por lo tanto es necesario colgar termómetros de máxima-mínima (ver páginas 44-47) en varias zonas de la veranda y localizar de esa forma los lugares más cálidos y más frescos. En esas zonas se pueden utilizar las orquídeas de acuerdo con sus preferencias de temperatura.
■ Es necesario pensárselo muy bien antes de elegir orquídeas que se vayan a cultivar en clima suave o cálido. En ese caso, las verandas deben mantener por las noches una temperatura de 16 a 12 °C, lo que hace que los costes de calefacción se vean incrementados de forma considerable.
■ Ninguna de las orquídeas soporta el impacto directo del sol. Es preciso, por tanto, que en primavera y en verano obtengan sombra a través de plantas complementarias o de persianas enrollables.

Orquídeas bajo cristal: el invernadero

Quien disponga de poco sitio en su casa pero tenga un invernadero, podrá convertir ese habitáculo en

Los invernaderos ofrecen unas condiciones de vida muy parecidas a las existentes en la Naturaleza: aquí se desarrollan en todo su esplendor y tamaño las diversas clases e híbridos de orquídeas.

alojamiento general para sus orquídeas. Son muy adecuados los pequeños invernaderos que se puedan adquirir en el comercio y cumplan las siguientes condiciones:

■ Han de tener, al menos, dos ventanas.

■ En su construcción debe intervenir el menor número posible de elementos metálicos que vayan del interior al exterior. En estas zonas se forman puentes térmicos que hacen salir el calor favoreciendo el goteo dentro del invernadero.

■ Como material más adecuado se recomiendan tableros de doble alma nervada de policarbonato o de acrílico. Aíslan perfectamente y, al contrario que el cristal, no favorecen la condensación del agua. Ambos materiales resisten durante muchos años los efectos de los rayos ultravioletas. El que se decida por el bricolaje para hacerse su invernadero debe tener en cuenta que el policarbonato se puede cortar con un cuchillo, un serrucho de calar o una sierra circular.

■ Para ahorrar energía, el lugar debe estar protegido del viento. No es adecuado colocarlo debajo de árboles, pues acabaría manchado por efecto de las hojas y los excrementos de los pájaros.

■ En invierno hay que cubrir el invernadero con plástico de burbujas. Este aislamiento ahorra elevados costes de energía.

■ Además de una calefacción uniforme, también es importante la sombra. En el caso de construcciones interiores, deben estar fabricadas con tejido casi opaco (valor de sombreado del 66%) y ser permeables al aire. Más complicadas, aunque más efectivas, son las construcciones exteriores. Se montan a unos 20 cm de distancia con respecto al cristal y no solo dan sombra, sino que también enfrían, cosa que es muy favorable para las orquídeas en los meses de verano.

Ventilación suficiente

Los invernaderos o las varandas deben estar debidamente ventilados en verano. Da buenos resultados una ventilación forzada con la que un ventilador, situado en la parte superior de la habitación y controlado por un reloj conmutador, extrae el aire de la habitación. A través de las aberturas situadas en la parte inferior entrará aire fresco.

> PREGUNTAS Y RESPUESTAS

Consejos expertos acerca de la planificación

Las orquídeas pertenecen a una de las más fascinantes familias de plantas: son muy variadas y algunas de ellas tienen flores de larga duración. Quien cuide y coleccione orquídeas y se relacione con ellas siempre se tropezará con interesantes preguntas al respecto.

? **Desde hace poco tiempo tengo algunas orquídeas que florecen de forma maravillosa. ¿Cuál es la duración de las flores y con qué frecuencia florecen estas plantas?**

No existe una respuesta general para esta pregunta, pues las diversas clases e híbridos de orquídeas florecen en momentos y durante tiempos muy distintos. Algunas, como, por ejemplo, la *Flickingeria*, florece una única vez y solo durante varias horas; por el contrario, otras, como la *Phalaenopsis* pueden florecer durante meses, la media es de 8 a 12 semanas. Las *Cattleya* con sus delicadas flores, florecen durante 3 y 6 semanas, las variedades con flores más resistentes pueden llegar a las 8 semanas. La *Stanhopea* florece varios días. La fase de floración, en general en este tipo de plantas, es de 2 a 3 meses. La floración repetitiva de la *Paphiopedilum* o la *Psychopsis* persiste más de un año; no obstante, las flores independientes no lo hacen tanto,

sino que en el mismo racimo aparecen una y otra vez nuevas flores. Otros géneros, como la *Cochleanthes*, ofrecen a menudo nuevas flores durante la fase de crecimiento, de tal forma que durante un largo período de tiempo, interrumpido por muy cortas pausas, siempre está florida.

La mayoría de las orquídeas florecen con ritmo anual y, por tanto, mantienen una fecha de floración bastante determinada. Si resulta necesario, estas fechas de floración pueden ir precedidas de una fase de reposo. En los híbridos, que son el resultado del cruce de diversas clases de orquídeas, resulta complicado descubrir estas fases de reposo, hasta el punto de que dos híbridos idénticos pueden ser distintos en cuanto al momento de su fase de reposo y de la consiguiente floración.

Si una orquídea no ofrece su floración anual, en el siguiente año habrá que situar su fase de reposo en otro momento, colocar la planta en un

lugar más fresco o bien hacer que ese reposo sea más largo. Las *Phalaenopsis* tienen suficiente con un descenso nocturno de temperatura de unos 4 °C; si se observa que no es suficiente y la planta sigue sin dar flores durante un año, habrá que dejarlas en un lugar algo más frío para poder estimular la floración.

? **Estoy interesado en saber cómo están emparentadas unas con otras las diversas orquídeas. ¿Cómo se pueden diferenciar los distintos géneros?**

De hecho numerosos de los diversos géneros de orquídeas resultan ser muy parecidos. Sin embargo, existen características típicas que distinguen a los géneros. *Cattleya* y *Laelia* se diferencian por el número de sus polinios: la *Cattleya* tiene cuatro y la *Laelia* ocho. La *Paphiopedilum*, el zapatito de dama de procedencia asiático, y la *Phragmipedium*, sudamericano, se diferencian por la forma de floración: mientras que la

Paphiopedilum se marchita en el tronco, en la *Phragmipedium* las flores se limitan a caerse. La *Bulbophyllum* y la *Cirrhopetalum* se pueden diferenciar por la posición de sus flores.

En la *Cirrhopetalum* los tallos de las flores brotan todos de un lugar, las flores forman una umbela.

En el caso de la *Bulbophyllum*, la floración tiene lugar en forma de racimo. También existen métodos modernos que ayudan a determinar las características de parentesco entre las orquídeas. Con la ayuda de la genética se analiza y compara (de modo parecido a las huellas dactilares) el material hereditario (ADN) de las diversas clases y géneros; los investigadores adquieren en muchas ocasiones nuevos conocimientos sobre esos parentescos. No obstante, las orquídeas actuales han originado nuevos géneros que obligan a reclasificarlas.

¿Qué plantas útiles se pueden encontrar entre las orquídeas?

La planta útil más conocida es la vainilla (*Vanilla planifolia*). Fue descubierta y en principio cultivada por los aztecas, que la utilizaban como especia, perfume y también como elemento curativo. Los españoles trajeron la vainilla a Europa. Finalmente la vainilla fue cultivada por los franceses en las islas del océano Índico; la primera vez se hizo en la isla de Reunión, que por aquel entonces era denominada *Ile Bourbon*, y de ese nombre vino la denominación «vainilla *bourbon*». En la actualidad la vainilla se cultiva en todas las zonas del mundo de tipo tropical y subtropical.

También existen otras orquídeas consideradas como plantas útiles. El almidón de una orquídea turca se utiliza para la fabricación de helados, el zumo de la japonesa *Bletilla striata* y de la sudamericana *Cyrtopodium* se aprovecha como pegamento, las hojas de la *Angraecum fragans* (oriunda de Madagascar) se cuecen para preparar infusiones de té y la *Dendrobium nobile* tiene aplicación en China como planta medicinal.

Quiero transformar la repisa de mi ventana en una ventana de orquídeas. ¿Qué debo tener en cuenta?

Gracias a su construcción especial, una ventana de orquídeas o de flores no solo ofrece mucho más espacio para las plantas, sino que además brinda a las orquídeas un microclima óptimo. El cambio de una repisa de ventana en ventana de orquídeas es bastante fácil, pero antes de decidirse hay que tener en cuenta las normas que rijan en la comunidad de propietarios del edificio.

Lo primero que hay que hacer es colocar una nueva repisa que debe ser lo más ancha posible y proveerla con bandejas impermeables para plantas. Encima se colocará una rejilla del tamaño adecuado sobre la que después irán las orquídeas. Como alternativa, también se puede colocar un marco de madera, forrarlo con una lámina de tejido impermeable y recubrirlo con rejilla de alambre. Las plantas se sitúan sobre unas bandejas llenas de agua colocadas sobre el tejido para aprovecharse del agua evaporada. En los laterales de la ventana de orquídeas se deben situar unos estrechos cristales, de tal modo que

la repisa quede cerrada por los lados y solo esté abierta por la zona que da a la habitación. Así se forma un microclima ideal con una equilibrada humedad ambiental. Si las plantas están demasiado juntas, se dispondrán unos ventiladores pequeños para suministrar suficiente aire fresco.

En mi paludario siempre hay una humedad relativa del aire del 80 %. ¿Es apropiada para las orquídeas una humedad tan elevada?

Si es verdad que la humedad del aire es constante y siempre al 80 %, a la larga no resulta muy adecuado para las orquídeas. Las especies tropicales necesitan de hecho una alta humedad del aire, pero también están acostumbradas a unos cortos intervalos de sequedad, pues en sus lugares de origen ocurre que, a causa de la fuerte insolación de mediodía, la humedad disminuye de forma considerable. Por lo tanto, es necesario preocuparse de que la humedad baje en el paludario hasta el 60 % durante el día. Si no es posible por tener que atender las necesidades de las demás criaturas que vivan allí, lo primero que se debe hacer es cultivar orquídeas colgadas (ver página 37) que, al ser de vida epifita, toman el agua del aire y en consecuencia son capaces de soportar mayor humedad ambiental. Si estas orquídeas colgadas se desarrollan adecuadamente, después se puede probar si ocurre lo mismo en el paludario con las orquídeas en maceta.

Práctica

Comenzar con éxito

El *know-how* adecuado nos sirve para asegurarnos de que las orquídeas crezcan hasta formar magníficas plantas que nos aporten su alegría durante muchos años. Una buena calidad, el sustrato adecuado, la correcta forma de cultivo y las macetas apropiadas son las mejores condiciones iniciales.

El cultivo de las orquídeas exige cierto esfuerzo. Pero las plantas lo compensan a base de brindarnos unas exuberantes flores que se mantienen durante mucho tiempo. La base para tener éxito en el cultivo de las orquídeas comienza en el mismo momento de su adquisición: solo hay que elegir plantas que se encuentren en un estado óptimo (ver páginas 32-33). Tampoco se debe ahorrar en lo que se refiere al sustrato, pues constituye, junto con una forma de cultivo adecuada, el soporte para que las orquídeas se desarrollen a la perfección y crezcan hasta convertirse en unas vistosas plantas.

Las diversas orquídeas se pueden cultivar de formas muy variadas. Es solo una cuestión de gusto personal el que nos decidamos por cultivar en maceta, bloque o cesta (ver páginas 36 y 37). Son muy pocos los tipos de orquídea que requieran un cultivo específico; la mayoría puede prosperar a la perfección tanto en maceta con en cesta. Numerosos amantes de las orquídeas eligen el cultivo en maceta porque resulta más sencillo y se puede llevar a cabo en cualquier repisa de ventana.

Para que las orquídeas crezcan como en la Naturaleza

Quien tenga la posibilidad de disponer de una vitrina, una ventana de orquídeas o incluso de un jardín de invierno, puede ofrecer un toque exótico a su domicilio a través de la sujección de sus orquídeas a un trozo de madera o corcho, o bien de su cultivo dentro de una cesta. En ambas opciones de cultivo los racimos de flores cuelgan de una forma muy decorativa. Pero también una maceta colgante sujeta a cualquier ventana servirá para que las orquídeas muestren todo su esplendor floral.

Las raíces de las orquídeas son muy delicadas, la mayoría están acostumbradas a una vida al aire libre y necesitan disponer con regularidad de un sustrato fresco y suelto para poder respirar. No soportan la tierra dura y húmeda ni tampoco un sustrato viejo y apelmazado. En consecuencia, hay que preocuparse de cambiarlas de maceta con periodicidad.

Las orquídeas formadas en un cultivo de cesta ofrecen una atmósfera similar a la de una selva virgen. En estos casos resulta muy útil hacerse con accesorios bonitos y prácticos.

EQUIPOS DE MEDIDA DE GRAN UTILIDAD

El termómetro de máxima-mínima (a la izquierda en la fotografía) forma parte del equipamiento básico del que se debe disponer para el cuidado de las orquídeas. Con su ayuda se puede registrar la temperatura superior e inferior de una habitación. En espacios muy grandes o en verandas lo mejor es hacer las medidas de temperatura en varios puntos del local, pues en las paredes exteriores o en el centro de la habitación la temperatura puede ser muy distinta a lo largo del día y la noche. Un higrómetro (a la izquierda) sirve para controlar la humedad del aire. Es necesario para poder determinar si la humedad real es suficiente para las plantas o si hay que incrementarla de alguna forma. No hay que olvidar que el higrómetro se debe ajustar de manera periódica (ver página 20).

Fundamental para el cuidado de las orquídeas

HERRAMIENTAS PARA LAS DIVERSAS FORMAS DE CULTIVO

1 En el cultivo en maceta hay que seleccionar los recipientes. Las macetas de arcilla son decorativas pero precisan de una cuidadosa dosificación del riego. Las macetas de plástico eliminan bien el agua y no se forma humedad por estancamiento. Si se utilizan macetas transparentes se puede vigilar el perfecto estado de salud de las raíces.

2 Las orquídeas epifitas son muy apropiadas para el cultivo en cesta de alambre.

3 Las epifitas prosperan también en un cultivo en bloque: crecen sobre trozos de rama o de corcho, las raíces han de estar cubiertas con esfagno. El alambre las mantiene unidas.

4 Un cartel con el nombre de cada orquídea sirve para que, al cabo de los años, se conozca la clase o el híbrido del que se trata.

PULVERIZADOR, TIJERAS Y OTROS

1 Los pulverizadores son muy útiles para elevar la humedad del aire. Si son de alta calidad se pueden encontrar piezas de repuesto en el comercio especializado.

2 Las tijeras de jardín y los cuchillos son muy útiles si hay que cortar raíces y ramas. Para no machacar los tallos resulta imprescindible que las hojas estén siempre muy bien afiladas.

3 Con ramas de bambú o tutores de madera de distintas longitudes, además de alambre forrado, cualquier racimo encuentra un soporte en el que apoyarse.

4 Las regaderas sin alcachofa son muy útiles, pues con ellas se pueden regar de forma precisa las raíces.

5 Los abonos para orquídeas, ya sean líquidos o sólidos, se ocupan de que las plantas dispongan de suficientes nutrientes y oligoelementos.

Termómetro, higrómetro, vaporizador y tijeras de jardinero, todo esto forma parte del equipamiento básico. Con unas herramientas de primera calidad el cuidado de las orquídeas, ya sea en maceta, cesta o bloque, se convierte casi en un juego de niños.

CLIPS DE COLORES PARA SUJETAR LOS RACIMOS DE FLORES

Para sujetar los racimos, en el mercado existen unos bonitos clips con forma de mariposa o libélula. Si no apetece que haya tanto colorido, también existen en un formato más pequeño y de tono marrón. Los amigos de la elegancia pueden decidirse por unas largas varillas de cristal rematadas por una espiral. Son muy decorativas y sujetan perfectamente los racimos de flores.

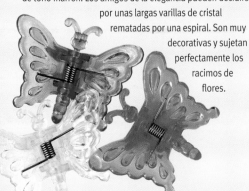

GUARDERÍA PARA ORQUÍDEAS

Las plántulas de orquídea se suelen ofrecer en recipientes estériles (1). Una vez que llegan a los dos años se pueden colocar en una maceta común para varias plantas (2). A los tres años ya son bastante grandes y hay que dedicar una maceta independiente para cada planta (3). Aun así, normalmente las plantas que se ponen a la venta suelen tener capacidad de floración o estar florecidas (4).

Criterios a la hora de comprar orquídeas

Cuando se va a adquirir una orquídea, siempre hay que tener en cuenta la calidad. Si nos informamos de las necesidades vitales de los diversos tipos de orquídea, como puede ser un emplazamiento cálido, templado o fresco, seguro que elegiremos las adecuadas a nuestro entorno.

Las orquídeas no son plantas de interior baratas y algunas de ellas alcanzan precios muy elevados. Por lo tanto es muy importante antes de realizar la compra conocer lo que hay que tener en cuenta y la forma en que se pueden reconocer las orquídeas de buena calidad. De esa manera la inversión resultará rentable, pues las orquídeas no solo tienen un tiempo de floración muy prolongado, sino también una vida muy larga.

Reconocer la calidad

Las orquídeas se pueden encontrar tanto en supermercados como en floristerías o viveros especializados:
- En las floristerías o en los viveros además de disponer de una gran selección también, por regla general, se tiene la casi absoluta seguridad de que las plantas han sido cuidadas de forma adecuada.
- Las especies habituales y sencillas de cultivar, como, por ejemplo, la *Phalaenopsis*, también se pueden encontrar en los supermercados a precios bastante asequibles. Pero si la calidad no es la correcta, la compra en cuestión no habrá sido una ganga.

Sin importar en absoluto el centro en que se haya adquirido la planta, lo único fundamental es examinar con todo cuidado la planta antes de decidirse a comprarla.

Comprobación de la calidad de las orquídeas

- El principiante sólo debe elegir aquellas orquídeas que ya estén florecidas o que, al menos, tengan primordios florales. Si se adquieren ejemplares que no hayan echado flor, nunca se sabrá cuándo lo van a hacer.
- En ciertos países europeos, sobre todo de la zona central, el invierno resulta demasiado oscuro para las orquídeas. Por ello no es raro que en esta época del año las yemas amarilleen y se sequen. Si eso ocurre con un máximo de tres yemas no se debe dar mayor importancia al tema, pero si el número de brotes decolorados fuera mayor que el citado, será señal de que existe un error de cultivo.
- En invierno no hay que comprar plantas con racimos en los que las yemas sean demasiado pequeñas, pues una vez en casa lo más probable es que no completen su desarrollo y no originen unas flores grandes y coloridas. Esto es consecuencia de que en una vivienda las orquídeas suelen

Los viveros especializados disponen de una variada selección de especies e híbridos de orquídeas.

Si las raíces están sanas sus puntas son largas y firmes y además están coloreadas de verde o de un marrón rojizo.

recibir menos luz que en el punto de venta del vivero, que suele estar equipado con una luz artificial especial. Sin embargo, si la planta florece, aunque solo desarrolle uno o dos brotes, no habrá ningún tipo de problema.

■ El último tallo, y por tanto el más joven en el caso de las orquídeas simpodiales, debe ser de igual o mayor longitud que el que se haya formado en penúltimo lugar. En el caso de orquídeas monopodiales, la hoja situada más arriba debe ser igual o mayor que la anterior más baja. Si no ocurriera de esa forma estaríamos ante un claro signo de que en los últimos tiempos la planta no ha sido demasiado bien cuidada.

■ Con las macetas transparentes, disponibles hoy en día en el mercado, es muy fácil comprobar si las raíces de la orquídea están sanas e intactas. Una señal de buen cultivo la ofrecen las raíces con puntas verdes o de color marrón rojizo (véase la fotografía de esta página). Sin embargo, basta con que al menos una parte de las raíces tenga

puntas firmes y verdes para poder confiar en el estado de la planta.

■ Es necesario comprobar si las orquídeas están demasiado húmedas. Esto se reconoce por el sustrato, que se debe mantener fresco y suelto. Si se desmigaja con facilidad y la planta se mueve dentro de la maceta es que parte o todo el sustrato ha sido atacado por el musgo, y que ha estado durante demasiado tiempo con exceso de humedad. En estos casos las raíces suelen quedar dañadas y resulta muy difícil recuperar la planta. El hecho de que aparezcan algas o musgo en la parte interior de la maceta es también un síntoma de que la planta ha mantenido excesiva humedad y durante un largo período.

■ Si existen depósitos calcáreos o salinos sobre el sustrato o en la parte inferior de la maceta, es necesario dejarla sin abonar y observar si mejora, porque ha recibido demasiado abono. Sin embargo, si se ha comprado una de estas plantas será necesario hacer un cambio de maceta cuando lo permita la estación del año y el estado de la orquídea (ver páginas 40-41).

Adquisición por correo

Hoy en día las orquídeas también se pueden adquirir en los catálogos de los viveros especializados o bien encargarlas vía Internet y hacer que nos las envíen por correo. Internet ofrece incluso una magnífica posibilidad para mantenerse en contacto con viveros especializados. Y además, en los *blogs* de Internet se pueden intercambiar experiencias con otros amantes de las orquídeas. Los criadores de orquídeas suelen incluir en sus páginas web algunas fotografías de sus plantas. Si se han desarrollado de forma vegetativa con ayuda de un cultivo de tejidos o a partir de secciones (ver páginas 60, 61 y 63) la orquídea obtenida será idéntica a la que nos muestra la imagen. Sin embargo, si se encargan orquídeas que hayan surgido a partir de semillas se pueden dar ligeras variaciones tanto en las flores como también en el aspecto exterior general de la planta, ya que los «hermanos» nunca tienen por qué ser idénticos.

Información

PARA CONSEGUIR ÉXITO AL COMPRAR UNA ORQUÍDEA

✔ Antes de adquirir una orquídea es necesario saber si va a estar colocada en un lugar cálido, fresco o templado.

✔ ¿Se desea una planta alargada o se dispone de sitio para que una orquídea crezca como si fuera un arbusto?

✔ Si se quiere cultivar las orquídeas en cestas o colgadas, hay que averiguar cuál es la variedad adecuada.

✔ Es indispensable que el transporte de la planta sea seguro: debe ir bien embalada y estar protegida contra el calor y el frío (ver página 78).

El sustrato adecuado

En el caso de cultivo en maceta, el sustrato aporta a la orquídea agua y sustancias nutritivas y además le ofrece la sujeción adecuada. Dado que en la Naturaleza las orquídeas no viven sobre sustrato, si se utiliza deberá acondicionarse para que las raíces puedan respirar.

En la Naturaleza son muchas las orquídeas que crecen de forma epifita, es decir, sobre los árboles. Por lo tanto estas orquídeas se pueden colgar sin sustrato o en cestas con poca cantidad del mismo (ver páginas 36-37). Además de las orquídeas terrestres, que arraigan en tierra, las epifitas también pueden prosperar en macetas.

Ingredientes para el sustrato de orquídeas: corteza (1), seramis (2), vermiculita (3), esfagno (4), perlita (5).

Sin embargo, nunca se pueden colocar en tierra normal de flores y es necesario elegir un sustrato especial para orquídeas que se corresponda con las especiales exigencias de estas plantas. Esos sustratos son adecuados tanto para orquídeas terrestres como epifitas.

■ Las raíces de las orquídeas epifitas están acostumbradas a estar rodeadas de aire. Se proveen regularmente de la humedad del aire que, a su vez, la extrae de los frecuentes chubascos que caen. Puede ocurrir que también se lleguen a secar. Este ritmo de humedad y sequedad es el que se debe imitar en el cultivo de orquídeas en macetas o cestas (ver páginas 36-37). Dado que el sustrato se descompone a los dos años o incluso antes y no vuelve a estar esponjoso, ya no resulta apropiado para que las raíces puedan respirar.

■ Es muy sencillo comprobar si el sustrato, ya sea comprado o preparado por uno mismo, es de buena calidad: basta con humedecer un puñado del mismo y luego apretarlo con el puño. Si continúa manteniéndose esponjoso

es señal de que permite circular correctamente el aire entre las raíces de la planta. Si se queda compacto no es de la calidad adecuada porque no permite respirar a las raíces.

Cortezas y esfagno

En el comercio especializado se puede encontrar preparado un sustrato de buena calidad, aunque también es posible adquirir por separado cada uno de sus ingredientes.

■ Como sustrato base para el cultivo en maceta se recomienda la **corteza de coníferas mediterráneas**, de grosor medio. Tiene la ventaja de que se descompone al cabo de tres años y almacena poca agua, con lo que las orquídeas nunca sufren encharcamiento. La corteza de coníferas se puede adquirir en comercios especializados y existe en diversos grosores, lo más preferible es una variedad con una granulometría de 15 - 25. Nunca hay que utilizar cortezas de coníferas procedentes de zonas frías, como pudiera ser Europa central, pues contienen demasiada resina y puede dañar las raíces. La desventaja del sustrato de corteza es que se seca muy deprisa, por lo que solo se debe utilizar un 80% del mismo y añadirle sustancias adicionales que retengan el agua. La corteza de pino, además, absorbe con mucha facilidad el nitrógeno del abono y las plantas que están sobre un sustrato puro de corteza padecen enseguida de una carencia de nitrógeno.

■ **El musgo de Nueva Zelanda**, también denominado **esfagno**, es también un magnífico sustrato de base y suele ir mezclado con corteza de coníferas. Absorbe muy bien el agua y la cede a las orquídeas. A pesar de estar húmedo, permite que circule adecuadamente el aire por las raíces. Un buen esfagno que lleve agregada corteza de coníferas se mantiene muy estable durante tres años; una vez transcurrido ese plazo, lo más recomendable es cambiarlo. La proporción de esfagno en el sustrato puede ascender hasta el 40%.

■ **La turba** ya no se utiliza hoy en día; en parte por motivos de protección a la Naturaleza y por otro lado porque no almacena bien el agua o incluso priva de ella a la planta.

Para conseguir el sustrato perfecto

Los aditivos se incorporan al sustrato básico y tienen la misión de mejorar tanto la estructura como el almacenamiento de agua y abonos.

■ El carbón vegetal acumula tanto las sustancias orgánicas como el abono sobrante. Además eleva el valor del pH del sustrato y lo sitúa en el intervalo ideal que va desde 5,5 hasta 6,5. La proporción de este componente en el sustrato debe estar entre el 5 y el 15%. Dado que no siempre es posible comprar el carbón vegetal con el grano adecuado, se pueden conseguir trozos de 1 cm de tamaño en las bolsas de carbón para barbacoas.

■ **La perlita y vermiculita** son minerales tratados con calor que almacenan agua y las sustancias nutritivas y consiguen mejorar la

ventilación del sustrato. Deben constituir de un 10 a un 20% del compuesto.

■ También es muy recomendable la **arlita**, gránulos de arcilla expandida. Suele representar de un 10 a un 20% del volumen total de sustrato. Se ocupa de dar estabilidad a la planta y de que haya una buena ventilación.

■ La adición de carbonato cálcico como complemento al sustrato de corteza (25 gramos de carbonato por cada 10 litros de sustrato) eleva el valor pH, es decir, reduce la acidez, y aporta magnesio a las orquídeas.

Preparar uno mismo el sustrato

También resulta muy fácil preparar en casa un sustrato para orquídeas. Se pueden utilizar, por ejemplo, 8 litros de corteza de coníferas con una granulometría del 15 al 25 que se mezclarán con 1 litro de esfagno grueso y 1 litro de vermiculita, seramis o carbón vegetal. Para finalizar se deben añadir 20 g de carbonato cálcico con una elevada proporción de magnesio, así como 10 g de un abono completo pulverizado. Esta mezcla se puede mantener durante varios años en un lugar seco y bien aireado.

El sustrato de orquídeas puede estar formado a base de corteza y esfagno o bien prepararse a base de mezclar varios componentes (véase en el texto).

› PRÁCTICO

Diversas formas de cultivo

Son muchas las orquídeas que se cultivan hoy en día en maceta. Sin embargo, algunas especies prefieren el cultivo en cesta o en bloque: ambas formas permiten que las plantas se desarrollen en todo su esplendor.

La mayoría de las orquídeas pueden ser cultivadas en maceta con la misma facilidad con que se hace con el resto de las plantas de interior. Este método tiene la ventaja de que la orquídea recibe suficiente agua a través de las raíces y se desarrolla mejor que con la humedad ambiental de una vivienda, que suele ser bastante escasa.

Algunas orquídeas epifitas prosperan más adecuadamente si se cultivan en cestas o sobre madera. Para algunas de ellas hay que tener en cuenta diversas circunstancias; la *Vanda*, por ejemplo, no arraiga en sustrato, sino que solo forma bonitas raíces colgantes (ver

«Información Práctica»). En el caso de la *Stanhopea* los panículos de flores crecen hacia abajo, a través del sustrato. Por lo tanto únicamente se desarrollan en cestas de alambre, ya que los panículos asoman al exterior a través de los agujeros de la cesta. Tanto en el cultivo en bloque como en cesta, la humedad del aire debe ser del 70 al 80%, en caso contrario las raíces se secan fácilmente.

Un clásico: el cultivo en maceta

Las orquídeas terrestres, como los zapatito de dama (*Paphiopedilum*) o la *Cymbidium* se adaptan

perfectamente a una maceta, pero si se cultivan colgadas o en cesta no se desarrollarán. En cambio la mayoría de las epifitas son apropiadas para cultivarlas en maceta:

- Las macetas deben estar apoyadas sobre el suelo y tener muchos agujeros de desagüe a fin de que no se forme humedad por estancamiento y las raíces reciban luz. Las raíces de las orquídeas epifitas necesitan respirar a pesar de estar en el interior de la maceta.
- Las macetas deben disponer de unas pequeñas patas para que circule algo de aire entre los agujeros de salida de agua y el suelo.
- Para que las raíces encuentren sitio, las macetas no deben ser mucho más estrechas por abajo que por arriba.
- Son recomendables las macetas de plástico, pues cumplen con todos los criterios que se acaban de enunciar. Si se utilizan macetas de arcilla con un solo agujero de desagüe y sin patas de apoyo, hay que vigilar para que no se forme humedad por estancamiento.
- Una manera especial son las macetas colgantes: estas orquídeas resaltan por sus racimos colgantes. Para que el agua no gotee, siempre hay que colocar las macetas sobre una bandeja que se haga cargo del agua sobrante. A la hora de plantar siempre habrá que poner una capa de drenaje (ver página 39).

Decorativo: cultivo en cesta

Forma intermedia entre el cultivo en maceta y en bloque. Las plantas arraigan en sustrato grueso dentro de cestas confeccionadas con ramas de madera. Las epifitas y las

---

Información

ORQUÍDEAS EN CRISTAL

Las especies epifitas como la *Vanda*, cuyas raíces no soportan el sustrato, se desarrollan muy bien en vasos especiales para jacintos.

- Las plantas de raíces desnudas y sin sustrato se colocan en un recipiente alto de cristal con una gran abertura.
- Después el vaso se rellena con aproximadamente 1 cm de agua de lluvia, de tal modo que las raíces cuelguen sobre el agua. La absorberán muy deprisa y se colorearán de verde. Días después volverán a tener un tono gris. Es necesario regarlas de forma periódica y añadir abono líquido de baja concentración.

orquídeas grandes se acomodan muy bien y se sienten como en casa si se las coloca en cestas, pues en ellas el sustrato se seca mejor que en las macetas y las raíces reciben más aire. Entre estas orquídeas encontramos, por ejemplo, la *Laelia* sección *Cattleyodes*, *Dendrobium* sección *Callista* o bien la *Bulbophyllum*. Como resulta complicado evitar que el agua de riego gotee a través de la cesta, este cultivo resulta más apropiado para una ventana de flores dotada de bandejas o bien un jardín de invierno con suelo empedrado. También se puede recubrir la cesta con láminas de plástico perforadas, de modo que el agua permanezca durante más tiempo en el sustrato. Las plantas tienen bastante con una humedad del aire del 60 al 70 %.

Exótico: cultivo en bloque

En el caso de cultivo en bloque se sujetan a trozos de madera o de corcho. Esto es adecuado tan solo para orquídeas epifitas como, por ejemplo, las *Aerangis*, *Ascocentrum* y *Cattleya*. Los soportes (de venta en tiendas especializadas) deben durar mucho y no tener ningún tipo de resina. Las raíces de las epifitas se colocan en musgo o esfagno y se anudan bien (ver figuras 1 a 4). Las orquídeas que se han desarrollado en maceta, se pueden pasar en primavera a cultivo en bloque (ver página 41), aunque al principio se deben pulverizar con agua de forma periódica hasta que, poco a poco, las raíces se acostumbren. Las plantas grandes prosperan mejor en cestas, ya que en el cultivo en bloque se secan algo las raíces.

1

Preparar los soportes
Para el cultivo en bloque hay que hacerse con corcho o madera del tamaño adecuado a fin de que sirva de soporte, en cuya parte superior o centro se debe colocar un gancho de alambre. Luego se debe cubrir uniformemente con esfagno húmedo.

2

Preparar las orquídeas
Primero es necesario retirar de ellas las raíces y hojas que hayan envejecido; luego las plantas se colocarán sobre el soporte. Es necesario distribuir las raíces de forma regular sobre el trozo de madera o corcho.

3

Cubrir las raíces
Hay que cubrir las raíces, casi hasta el cuello, con esfagno húmedo. Las raíces demasiado largas se dejarán sobresalir por los laterales.

Atar bien las orquídeas
Es necesario atarlo todo con alambre, pero que no apriete demasiado. Se comienza a atar por el cuello de las raíces. Para finalizar se corta el alambre y se anuda.

4

> PRÁCTICO

La forma correcta de trasplantar las orquídeas

Las orquídeas, al contrario de lo que ocurre con otras plantas de interior, solo precisan en raras ocasiones de macetas grandes, pero cada dos años necesitan sustrato fresco. Si se trasplantan de forma adecuada responderán muy bien.

Al cabo de dos o tres años el sustrato ya habrá envejecido. Se desmigaja y acaba por liberar demasiados nutrientes. Las raíces no pueden secarse en la maceta y no reciben aire. Es el momento de trasplantarla. Hay que pensar que si una planta está recién comprada, lo más probable es que ya lleve un año en la maceta en que haya venido y, en consecuencia, se la deberá trasplantar al cabo de otro año. La mejor época para trasplantar tiene lugar al comienzo de la fase de crecimiento, a principios de primavera. También se puede realizar a finales de verano o principios de otoño. Ni el verano ni el invierno son los momentos más adecuados, pues muchas orquídeas sufren a causa del calor o se encuentran en su fase de reposo. Las orquídeas tampoco soportan el trasplante si están en pleno florecimiento, pues pierden todas las flores.

Preparación adecuada

Si se utilizan macetas viejas, antes de hacer el trasplante se deberán limpiar en el lavavajillas.
■ Para que las raíces se separen de las paredes de la maceta, si es una vasija de plástico se deberá presionar con cuidado un poco la maceta. Las que sean de arcilla se golpearán con mucha precaución contra el borde de la mesa o bien se pasará un cuchillo entre la maceta y el sustrato. Si las raíces están demasiado pegadas, no habrá más remedio que romper la maceta.
■ Hay que eliminar el sustrato antiguo que quede entre las raíces, pero sin dañarlas.
■ Se debe proceder a recortar las raíces viejas, secas o podridas y los bulbos muertos; se utilizarán unas tijeras o un cuchillo muy bien afilado. Solo se dejarán las raíces verdes y firmes y los bulbos sanos.
■ Si la masa de raíces es demasiado grande, no habrá más remedio que recortarlas (véanse las figuras 2 y 3), de tal modo que la planta junto al nuevo sustrato quepa de nuevo en la maceta vieja. Si se forman grandes heridas se deberán desinfectar con carbón activo en polvo (de venta en tiendas de jardinería).

1
Separar de la maceta
Si la maceta es de plástico y la orquídea está muy pegada a ella, habrá que despegarla a base de presionar sobre la maceta. Los tiestos de arcilla se deben golpear con mucha precaución contra el borde de la mesa. Lo normal es que después se pueda sacar bien la planta sin que se dañen las raíces.

Orquídeas monopodiales
Es necesario cortar las raíces viejas o dañadas. Las raíces de las orquídeas monopodiales se sueltan recortando las raíces sobrantes del centro del cepellón.

■ Únicamente es necesario utilizar una maceta mayor si la orquídea es demasiado grande para la maceta antigua y la poda ha hecho que el cepellón quede demasiado pequeño con respecto a la planta. No obstante, el cultivo es más complicado, ya que los grandes cepellones de raíces, al contrario que los más reducidos, se secan peor. La nueva maceta debe tener, como máximo, 2 cm de diámetro más que la anterior. Entre las raíces y el borde de la maceta debe haber un máximo de dos dedos.

■ Las macetas de más de 14 cm de diámetro necesitan drenaje (ver el recuadro siguiente). En macetas aún mayores es necesario colocar en su centro un pequeño tiesto de 6 cm. Esto reduce el volumen y permite que el sustrato se seque con mayor facilidad. También se puede facilitar ese secado con algunas ranuras practicadas en la maceta.

Colocar de forma correcta en la maceta

■ Es necesario girar la planta con mucho cuidado para que las raíces se asienten en la maceta sin llegar a romperse. En el caso de orquídeas simpodiales las ramas viejas deben tocar el borde de la maceta y las nuevas quedarán a unos dos dedos del borde.

■ Las orquídeas monopodiales se deben colocar en el centro de la maceta.

■ El cuello de las raíces, en ambas formas de crecimiento, debe quedar a la altura del borde de la maceta. Solo en caso de variedades trepadoras se pueden colocar un poco más profundas.

■ Luego hay que rellenar con sustrato el hueco existente entre la raíz y la maceta. Unos ligeros golpes o sacudidas permiten que el sustrato se asiente entre las raíces. Para finalizar se riega la planta con sumo cuidado.

ACCESORIOS PARA EL TRASPLANTE DE LAS ORQUÍDEAS

| E | F | M | A | M | J | J | A | S | O | N | D |

Tiempo necesario:
Unos 20 minutos por planta.

Material:
■ Maceta de plástico.
■ Elementos de drenaje: gránulos de arcilla, gravilla, arcilla expansiva o copos de estiropor.
■ Tierra de orquídeas de la que ofrece el comercio especializado o bien sustrato realizado por uno mismo.

Herramientas y accesorios:
■ Tijeras o cuchillo de jardín, ambos bien afilados.

Orquídeas simpodiales
En el caso de las orquídeas simpodiales es necesario disminuir el tamaño de los cepellones que se hayan hecho demasiado grandes; eso se consigue a base de cortar el exceso de raíces por debajo de los bulbos viejos. De esa forma ya vuelven a caber en la antigua maceta.

Colocar las plantas
Las orquídeas se colocarán en la maceta de forma que el cuello de las raíces se encuentre a la altura del borde de la maceta. Las orquídeas monopodiales se ubicarán en el centro de la maceta. Las simpodiales se colocarán de tal forma que los tallos antiguos se asienten en el borde de la maceta.

Rellenar con sustrato
Es necesario rellenar con sustrato todos los lados de la maceta a fin de que queden rodeadas las raíces, entre las que no deben quedar espacios vacíos. Hay que presionar algo el sustrato, pero no se debe exagerar esa presión para que no se dañen las raíces.

> PREGUNTAS Y RESPUESTAS

Consejos expertos acerca de las plantas

¿Hace ya mucho que las orquídeas son demasiado grandes para la maceta que las contiene, pero el tiempo no parece favorable para el trasplante? ¿Existe preocupación por si el transporte daña a las orquídeas que nos lleven a domicilio? ¿Interesa saber si podemos cambiar las plantas a un cultivo en bloque o cesta y la forma de hacerlo? Aquí se encontrarán consejos para todos esos temas.

? **Quiero comprar un nuevo portamacetas para mis orquídeas. ¿Qué debo tener en cuenta?**

Hay que elegir un portamacetas que sea de 1 a 2 cm mayor que el tiesto. Así se garantiza que el aire pueda pasar por los agujeros del suelo y que además circule entre la maceta y el macetero. Igualmente, en el suelo del portamacetas se puede colocar algo de gravilla, trozos de corcho, copos de estiropor o un material semejante. De esa forma no existe el peligro de que la planta entre en contacto directo con el agua sobrante del riego. La capa de drenaje tiene otro efecto secundario muy positivo: el agua evaporada hace que se incremente la humedad del aire existente alrededor de la planta. De esta manera se genera un magnífico microclima. Sin embargo, para esta capa de drenaje no hay que utilizar arlita ni ningún otro material de textura parecida: la maceta se hundiría en el drenaje y no habría circulación de aire entre la maceta y el portamecetas, con lo que las raíces recibirían muy

poco. Además absorberían el agua que sale por los agujeros de desagüe y el cepellón estaría siempre húmedo.

? **Quiero trasplantar mis orquídeas por primera vez. ¿Qué sustrato es más adecuado?**

No existe el mejor sustrato, ya que solo será bueno si va acompañado de unos cuidados adecuados para la planta. Además depende de la calidad del agua de riego. Las plantas tienen diferentes necesidades en cuanto al sustrato. De todas formas cualquier sustrato de orquídeas de los que se pueden adquirir en el comercio especializado resulta tan apropiado para la mayoría de las orquídeas, que no merece la pena molestarse en preparar uno especial. Se sabe que un sustrato es bueno para una orquídea si, un año después de su trasplante, esa planta continúa saludable y en forma.
Hay ocasiones en que las plantas empiezan a prosperar adecuadamente sobre el nuevo

sustrato y, de repente, se debilitan. Esto puede ocurrir porque el sustrato se descompone al cabo de tres a cuatro meses y libera elevadas dosis de sales procedentes del abono; las raíces mueren después de ese tiempo y más tarde lo hace toda la planta. Solo sirve de ayuda un inmediato trasplante.
Si se ha encontrado un sustrato en el que se desarrollan bien las orquídeas, lo mejor es utilizarlo para todas. El cultivo se hace más sencillo, ya que se conseguirá experiencia sobre la cantidad de agua que almacena el sustrato y la rapidez con que se seca después.

? **¿Puedo dejar mis orquídeas durante más de dos años en el mismo sustrato?**

En teoría y siempre que crezcan de forma correcta, las orquídeas se pueden mantener en el mismo sustrato durante más de los dos años que se suelen recomendar. Pero cuanto más tiempo se mantenga la planta sobre ese sustrato viejo, más se debilitará dicho sustrato. Esto en un primer momento no tiene por qué ser un problema, puesto que la planta se adecuaría a este sustrato. Sin embargo, si en algún momento la orquídea crece demasiado para la maceta y no lo hace de forma adecuada, no habrá más remedio que trasplantar y usar nuevo sustrato. Existe la posibilidad, incluso, de que la planta parezca mustia y que eso ocurra hasta que llegue a acostumbrarse al nuevo sustrato, que tiene unas características distintas al anterior. Por ejemplo, puede almacenar el agua mejor o peor que el primero. Lo recomendable es cambiar el sustrato cada dos años.

? Mi orquídea debe ser trasplantada de inmediato, pero está florecida y la época del año no es la más adecuada. ¿Qué puedo hacer?

No tendrás más remedio que decidirte de acuerdo con la situación. Durante la floración nunca se puede realizar un trasplante, pues es muy probable que la planta no sea capaz de superar el esfuerzo. Lo mejor es no realizar el trasplante cada dos años, sino un año más tarde. Si la floración de la orquídea se mantiene durante mucho tiempo existe la posibilidad de seguir con el riego de las plantas con flores o cortar el pináculo floral y realizar el trasplante.
En todo caso, si el sustrato está ya en mal estado y la planta no se desarrolla bien, es obligatorio realizar un inmediato trasplante. Pero es necesario sopesar las circunstancias: a mediados de otoño, una vez que los días empiezan a ser menos claros, no se debe realizar el trasplante y hay que esperar hasta principios de invierno. En los días

calurosos de verano solo se puede realizar un trasplante de urgencia y en los días siguientes hay que preocuparse de pulverizar la planta con agua.

? Cuando vaya a hacer el próximo trasplante de orquídeas, pienso cambiar a un tipo de cultivo en bloque o en cesta. ¿Qué debo tener en cuenta?

La forma de cultivo más segura y sencilla es una maceta normal que sea adecuada para orquídeas. Cualquier otro tipo de cultivo debe ser elegido con mucha prudencia y debe realizarlo un aficionado a las orquídeas que cuente con algo de experiencia. Por ejemplo: un cultivo en cesta o en bloque no es adecuado para una repisa normal de ventana, pues al hacer la pulverización se humedecerán las paredes y el goteo del agua puede acabar por dañar el suelo. Además, la mayoría de las orquídeas colgadas y en cesta crecen más despacio que las de maceta, pues en estas últimas las raíces reciben humedad de forma continuada.
En un cultivo en vitrina o terrario, en los que la humedad ambiental es bastante elevada, ocurre justo al contrario. Aquí las orquídeas cultivadas en bloque pueden desarrollarse hasta formar unos ejemplares fantásticos.
Si se desea cambiar a un cultivo en bloque lo más adecuado es hacerlo a principios de primavera. Hay que sacar la planta de la maceta, recortar el cepellón hasta que solo queden las raíces más carnosas y sanas; luego se lavan las raíces colocándolas debajo de un chorro de agua corriente. Más tarde habrá que sujetar la planta de la forma en que se describe en la página 37.

En el cambio a un cultivo en cesta, basta con colocar la orquídea en la cesta en cuestión. La mejor época para el traslado es la primavera. Este cultivo sólo es adecuado si se toman precauciones para que el desagüe del agua de riego sobrante no pueda dañar el suelo de la vivienda, por lo que la cesta debe ir en una ventana de flores o una vitrina. Para el cultivo en cesta las más adecuadas son las plantas grandes, ya que los cepellones se secan de forma progresiva.
Tanto en el cultivo en cesta como en bloque la humedad ambiental debe situarse entre el 70 y el 80%, si no se respeta ese intervalo las plantas no recibirán agua suficiente y acabarán por secarse.

? Hace ya algunos años que cultivo orquídeas en bloque y en cesta. Ahora las plantas se han hecho demasiado grandes para sus soportes. ¿Qué puedo hacer?

En el caso de las orquídeas cultivadas en bloque o en cesta, al cabo de unos años sus raíces se quedan tan sujetas al soporte o a la rejilla de la cesta que ya no se podrán soltar.
Para no dañar las raíces, en las orquídeas de cultivo en bloque se debe sujetar el soporte antiguo sobre el nuevo. Esta operación suele resultar muy fácil pues el paso de los años habrá provocado que el soporte viejo esté podrido en parte.
Las orquídeas cultivadas en cesta se colocan, junto con su anterior recipiente, en una cesta nueva de mayor tamaño. Hay que procurar que durante este proceso no sufran las raíces. Los huecos que quedan entre el trenzado de ambas cestas se rellenan con un nuevo sustrato grueso.

Bienestar para las orquídeas

El lugar apropiado, el abono correcto y un riego de acuerdo con las necesidades de la planta son condiciones previas fundamentales para el buen desarrollo de las orquídeas y para conseguir un esplendor periódico y mantenido de las flores. Algunas medidas adicionales en los cuidados hacen que las plantas se constituyan como centro de atención de todas las miradas en los jardines de interior.

En tiempos pasados las orquídeas tenían la reputación de ser plantas difíciles de cultivar. Pero un mejor conocimiento de sus necesidades y el cultivo de variedades más robustas han hecho de las orquídeas unas auténticas plantas de interior que no precisan de cuidados intensos y que pueden llegar a ser ideales para personas con poco tiempo.

Sencillez del cuidado de las orquídeas

Una ubicación adecuada es esencial para conseguir un desarrollo saludable de las orquídeas: las plantas tropicales y subtropicales necesitan de forma inexcusable la presencia de suficiente luz. Por lo tanto, en la estación más oscura del año es preciso aportarles algo de luz artificial que derivará en un crecimiento exuberante y una rica formación de flores.

En cambio, en pleno verano las orquídeas agradecerán que se les ofrezca una protección contra los abrasadores rayos del sol.

Cuidados con sentido

A la hora de regar y abonar orquídeas hay que poner en juego tacto y prudencia: es mejor no excederse. Para el cuidado de las orquídeas solo se debe utilizar un abono que sea especial para ellas. También hay que procurar que el agua de riego sea de la calidad adecuada. Para mayor seguridad en cuanto a la idoneidad del agua se puede llevar una muestra de la misma a un laboratorio especializado para encargar un análisis (también existe la posibilidad, en ocasiones, de acudir a asociaciones especializadas que se encargan de estos menesteres). Otra solución está en recolectar agua de lluvia en el jardín o el balcón, pues es muy adecuada para las orquídeas. Si la humedad ambiental es la correcta, la mayoría de las veces solo hará falta regar una vez a la semana. Las plantas de cultivo en bloque o cesta disfrutan mejor de un baño por inmersión o vaporización en el que las raíces puedan absorber por completo la humedad.

Por otra parte es suficiente con un control periódico no demasiado intensivo: hay que eliminar las flores marchitas, anudar los racimos florales o quitar el polvo que se almacena en las hojas; las orquídeas no precisan de muchos más cuidados.

Un cuidado periódico mantiene en forma a las orquídeas. Sobre todo en el caso de cultivo en cesta o bloque, un baño regular por vaporización.

Así se mejora la ubicación de las orquídeas

Hay ocasiones en que la luz y la humedad ambiental de una vivienda no constituyen el ideal para las plantas. Sin embargo, existen sencillos remedios para optimizarlo. Un termómetro de máxima - mínima nos permitirá averiguar el intervalo de temperaturas adecuado.

Los valores de las medidas de un termómetro de máxima – mínima son decisivos a la hora de elegir la ubicación de las plantas.

En algunas zonas de nuestras latitudes muchas de las orquídeas sufren de carencia luminosa durante el invierno (ver páginas 20-21). Y en el resto de los meses también hay ocasiones en que reciben poca luz porque se la quitan las plantas colindantes. También las orquídeas que están situadas en el borde de la repisa de la ventana pueden llevar, a veces, una existencia a la sombra. Al cabo de algún tiempo se comprueban las consecuencias de la carencia de luz: las plantas generan hojas delgadas y muy largas, se orientan hacia la luz o bien la distancia entre un par de hojas y el siguiente (internodio) es mayor de lo normal. Además estas orquídeas florecen muy poco o incluso no llegan a hacerlo.

Mimarlas con la luz

Las siguientes medidas pueden servir para que las orquídeas tengan más luz:

■ Si no es posible cambiar de lugar a la planta o acercarla algo más a la ventana, debemos instalar luz artificial adicional. Tampoco se debe prescindir de esta luz adicional durante los meses de invierno si se desea que las orquídeas prosperen de forma óptima.

■ Es necesario elegir tubos fluorescentes que tengan la denominación Luz Diurna, *Truelite* o *Daylight*. Su espectro luminoso se corresponde con el de la luz natural.

■ Si la lámpara está colgada del techo desde 0,80 hasta 1 metro de distancia por encima de las plantas o en la ventana, es suficiente con un solo tubo fluorescente. En el caso de distancias entre 1 a 1,5 metros, es necesario colocar dos tubos paralelos. Se deben elegir tubos que iluminen todo el ancho de la repisa de la ventana.

■ Los costes de electricidad no se dispararán porque los tubos normales de 36 W y una utilización de unas 12 horas al día gastan muy poco.

■ Si se necesitan varios puntos de luz se deben utilizar tubos de bajo consumo: cuestan algo más pero con la misma energía rinden un 25 % más de intensidad luminosa.

■ La luz de los tubos Warm-White resulta muy agradable para nuestros ojos, pero no es adecuada para las orquídeas por contener demasiada luz roja.

Sombra

En primavera o pleno verano las orquídeas que suelan estar colocadas en una ventana orientada al sur deben ser protegidas del intenso sol de las horas del mediodía:

■ Lo mejor son unas cortinas a media altura, marquesinas o persianas enrollables. También pueden usarse otras plantas para que hagan el papel de donantes de sombra (ver página 23).

■ Si no se dispone de tales tipos de protección, en caso de necesidad se pueden recubrir las plantas con papel de seda.

■ En pleno verano también se puede cambiar la ubicación de las orquídeas y colocarlas hacia el interior de la habitación. Es suficiente con alejarlas 1 metro de la ventana.

Suficiente humedad ambiental

Las orquídeas precisan de una

humedad del aire entre el 60 y el 80 %. La mayoría de las veces estos valores no llegan a alcanzarse en las habitaciones, las galerías acristaladas o las vitrinas. Las siguientes medidas pueden servir para elevar esa humedad:

- Contenedores de agua que se cuelgan de los radiadores y ceden agua de forma periódica al aire de la habitación.
- En el caso de orquídeas cultivadas en maceta, es necesario situarlas sobre una capa de arcilla expandida que se colocará dentro del macetero. Así, después del riego las plantas no tendrán los «pies» húmedos y el agua evaporada ascenderá hacia las hojas.
- Si hay varias plantas en la repisa de la ventana, se puede utilizar una cubeta de agua: encima de unas bandejas grandes llenas de agua se coloca una rejilla sobre la que irán apoyadas las plantas. Las orquídeas no tendrán contacto directo con el líquido pero se aprovecharán de la elevada humedad ambiental.
- La pulverización (página 50) de las plantas en maceta solo es adecuada una vez que se haya conseguido la suficiente humedad del aire a base de servirse de todas las medidas antes comentadas: de esa forma la hoja permanecerá

La arcilla expandida colocada en la bandeja sirve para que las orquídeas aprovechen la elevada humedad del aire sin necesidad de estar sobre un suelo mojado.

húmeda durante más tiempo. Sin embargo, si la humedad del aire es baja, las hojas que hayan sido pulverizadas se secarán muy deprisa y la pulverización puede suponer un shock para la planta.

- Las orquídeas cultivadas en cesta o sobre bloque se desarrollan muy bien con una elevada humedad del aire: disfrutan con la pulverización y sus raíces se fortalecen al absorber el agua ambiental.

Hay que tomar medidas

Para conocer el intervalo de temperaturas (ver páginas 18 y 19) existente en una habitación, se debe disponer de un termómetro de máxima-mínima (ver páginas 46). Hay que colocarlo a la altura a la que están las orquídeas. Este termómetro mostrará la temperatura más elevada del día y la más baja de la noche. La temperatura mínima nocturna es decisiva para saber si las orquídeas se encuentran en el lugar adecuado (ver página 19). El control de la temperatura resulta, pues, muy importante, ya que el riego de la planta depende de la oscilación térmica: si las noches son frescas hay que regar menos que si fueran más cálidas.

CONSEJO

UNA FUENTE DE INTERIOR APORTA BUEN CLIMA

Las atractivas fuentes de interior proporcionan bienestar tanto a las personas como a las plantas: además de su plácido y suave rumor, sirven para elevar la humedad ambiental y son una magnífica decoración para el salón. Si se rellenan estas fuentes con agua de lluvia o destilada no se formarán rebordes de cal.

Abono para orquídeas

En los abonos completos para orquídeas, la cal y el hierro aportan a las plantas lo necesario para un saludable desarrollo. Si también se cuenta con la adecuada calidad del agua, todo irá bien a la hora de abonar.

Con un buen abono las orquídeas crecen más deprisa y ofrecen flores de mayor tamaño. Su necesidad de nutrientes depende de la época del año. En primavera y gracias al aumento de las horas de luz diarias y de las elevadas temperaturas, pueden asimilar más cantidad de nutrientes que en el invierno. Si los días son cortos y la intensidad lumínica débil, las orquídeas pueden defenderse con menos abono.

CONTENIDO DE SALES EN EL AGUA DE REGAR	
Tipo de agua	**Contenido de sal**
Agua destilada	0–10 µS
Agua de lluvia	50–90 µS
Agua de lluvia con abono (valor óptimo)	200–400 µS
Agua corriente	700–1500 µS
Agua de fuente (de pozo)	200–3000 µS
Agua mineral	1500–3000 µS

¿Qué abono es el adecuado?

Los abonos aportan a las orquídeas los nutrientes más importantes: nitrógeno (N), fósforo (P) y potasio (K). Por eso el complejo es denominado N-P-K. Por lo general la envoltura del producto suele indicar las proporciones de esos componentes principales: por ejemplo, 2:1:1 ó 8:8:6. Esta relación debe ser lo más equilibrada posible para las orquídeas. El fósforo estimula la formación de las flores, el nitrógeno se ocupa de que se produzca un buen crecimiento y el potasio fortalece los tejidos de la planta. Además de estos nutrientes, un buen abono de orquídeas debe aportar de forma inexcusable minerales como hierro, magnesio, manganeso, calcio y todo un cóctel de oligoelementos. Entre ellos se encuentran, por ejemplo, el cobre y el molibdeno. Las orquídeas precisan de oligoelementos en cantidades ínfimas, pero no pueden renunciar a ellos, pues resultarían afectadas en su saludable crecimiento y desarrollo. Las orquídeas son plantas de baja exigencia de nutrientes, por lo que precisan bastante menos cantidad de abono que otras.

■ Para las orquídeas no se puede utilizar el abono normal aplicado en las plantas de interior, sino que es necesario proporcionarles uno especial que, además de los nutrientes correspondientes, también contenga oligoelementos. Esos abonos, y solo ellos, son los que permitirán el buen desarrollo de las orquídeas.

■ Es preferible utilizar abonos inorgánicos, pues aportan las sustancias nutritivas de una forma periódica y en unas dosis muy bien definidas. En cambio los preparados orgánicos liberan las sustancias nutritivas al cabo de bastante más tiempo y una vez que lo hacen suele ser en cantidades demasiado elevadas. Las sales de los abonos pueden dañar las raíces y hacer que muera la planta.

¿Líquido o sólido?

Existen abonos en distintas presentaciones, en forma de polvo o líquido. Ambos sistemas tienen sus ventajas e inconvenientes:

■ Los abonos en polvo son más baratos que los líquidos porque rinden bastante más. Sin embargo, los abonos líquidos son mucho más sencillos de utilizar, pues basta añadir al agua de riego la cantidad de abono que figura recomendada en el envase. Los abonos en forma de polvo deben ser pesados antes de diluirlos.

■ Las barritas de abono no son recomendables, pues se disuelven de manera incontrolada y aportan los nutrientes con total irregularidad, al principio liberan poco abono y demasiado al final; esto es dañino para las raíces.

Cuidado con el alto contenido en sales

Las raíces de las orquídeas están acostumbradas a un agua blanda y son muy sensibles a las sales. Además de las sales contenidas en los abonos, a la hora de regar encontramos otras sales que aparecen de forma natural en el agua corriente.

Estas cantidades suelen resultar muy elevadas para las raíces de las orquídeas. Por ello, una vez al año es conveniente averiguar el contenido de sales total, el del agua de regar y del abono, que se aporta a la planta. El análisis lo puede realizar un vivero de orquídeas o alguna asociación dedicada a tales plantas; también se puede recurrir a una tienda especializada en acuarios. Este valor, llamado conductividad, se indica en microsiemens (μS) (véase la tabla de la página 48). Lo ideal son unos valores entre 200 a 400 μS. Si los valores del agua utilizada resultaran demasiado elevados, sería precisa la depuración del agua (ver páginas 50 y 51).

Las orquídeas necesitan cal

La cal es un nutriente muy importante para las plantas y se ocupa de que el valor del pH del sustrato sea el adecuado (5,5-6,5). Dado que los componentes de un abono completo están asociados de forma química, la cal se deberá incorporar de modo independiente a la planta. Una vez al mes es necesario añadir una solución de nitrato de calcio (calcinita, 3-4 gramos por cada 10 litros de agua). También se puede preparar una lechada de cal (2 g de carbonato cálcico / 1 l de agua) y

utilizarla para regar las orquídeas dos veces al año.

Abono de hierro

El hierro es un componente importante de la clorofila, por lo que debe estar contenido en cualquier buen abono. Las plantas solo pueden absorberlo cuando el valor pH del sustrato es ligeramente ácido (5-6,5). Por lo general, el agua del grifo que se utiliza para regar es de una

característica entre neutra y básica (pH: 7 y más), por lo que una parte del hierro contenido en el abono se fijará al agua de riego y no pasará a la planta. Por lo tanto, siempre que sea posible se debe utilizar agua de lluvia (ver páginas 50 y 51), pues su pH es mucho más bajo. Además es preciso trasplantar las orquídeas cada dos años, pues la descomposición del sustrato hace que su pH quede por debajo de 5 y el hierro se fije al sustrato.

A la hora de utilizar un abono disuelto es imprescindible seguir las instrucciones de uso que indica el fabricante. Una concentración demasiado elevada puede dañar las raíces de las orquídeas.

> PRÁCTICO

Regar adecuadamente las orquídeas

Las orquídeas necesitan un agua blanda, el agua de lluvia resulta ideal para ellas. Casi todas las plantas proceden de los húmedos trópicos, donde viven de forma epifita. Por esa razón no les gustan en absoluto tener los «pies» húmedos: sus raíces quieren respirar.

No todas las aguas son iguales. El agua de grifo, por ejemplo, tiene casi siempre un contenido de sal tan elevado que puede llegar a ser perjudicial para las orquídeas. Estas sales suelen estar en combinación con cal, elemento que las plantas no utilizan y que se combinan con los oligoelementos, que sí son importantes para la vida de la orquídea. La planta queda privada de ellos. El agua de regar debe ser lo más pobre posible en cal para que el contenido global de sales, sumada la del agua y el abono, no sea demasiado alto. El contenido total de cal se corresponde con la dureza del agua y se suele dar en grados de dureza alemana (°dH). Las orquídeas soportan un agua de dureza comprendida entre los 4 y los 8 °dH. Las centrales de abastecimiento de agua a los núcleos de población deben estar en condiciones de informar a sus usuarios sobre los valores de la dureza del agua que suministran. Si el valor queda por encima de los 8 °dH, será necesaria una depuración del agua antes de comenzar a regar.

■ El agua corriente puede quedar libre de cal con los filtros disponibles en el mercado (filtros de carbón activo).

■ También se puede reducir el contenido de cal a base de hervir el agua. Este método sólo es eficaz cuando se utiliza una cacerola de hierro sin recubrimiento o bien un hervidor de agua cuyo dispositivo calefactor esté directamente dentro del agua.

■ También se puede reemplazar el agua de grifo por agua destilada (de venta en comercios especializados). La regla básica es que hay que mezclar una parte de agua de grifo con tres de agua destilada.

■ Las orquídeas no soportan que únicamente se utilice agua destilada. Nunca hay que diluir abono en agua destilada, pues a esa mezcla le faltarán unas cantidades mínimas de oligoelementos que sí están contenidos en el agua de grifo o de lluvia y que las plantas necesitan de forma inexcusable.

■ Lo ideal, si se dispone de jardín, es almacenar agua de lluvia. Lo mejor es mantenerla en un recipiente cerrado para que no resulte ensuciada por hojas, polen o cualquier otra cosa.

■ En caso de disponer de un pozo, se puede utilizar su agua siempre que antes se haya analizado: podría ocurrir que sus valores μS fueran demasiado bajos (ver tabla de la página 48) o que contuvieran un exceso de hierro o manganeso.

Información

INMERSIÓN Y PULVERIZACIÓN

■ Hay que pulverizar a diario las orquídeas de cultivo en cesta o en bloque.

■ El agua siempre debe tener la temperatura ambiente.

■ Si se realiza el baño de pulverización por la mañana, las plantas se pueden volver a secar a lo largo del día. Cuidado: las flores no deben quedar húmedas y no se debe acumular agua en las axilas de las hojas.

■ Es mucho mejor meter las raíces en un baño de inmersión. Cada 2 ó 4 días la planta se colocará de 3 a 10 minutos en un cubo de agua.

Regar sin la alcachofa de la regadera

Si las orquídeas de cultivo en maceta se encuentran en un macetero o una bandeja de ventana, a la hora de regarlas se debe procurar no inundarlas. El sustrato del fondo de la maceta no debe ser demasiado grueso, pues de lo contrario no podría asimilar suficiente agua.

Saturación de agua: el baño de inmersión

Una alternativa al riego convencional es el baño de inmersión. Para que el sustrato se humedezca bien es necesario meter la planta, con su maceta, de 3 a 10 minutos en un cubo lleno de agua. Se debe tapar el sustrato con las manos de modo que no se inunde la maceta.

Baño de pulverización

Las orquídeas cultivadas en cesta o bloque se deben pulverizar con regularidad. Es necesario humedecer con abundancia las raíces y las hojas para que absorban la mayor cantidad posible de agua. Las flores no deben humedecerse, pues podrían ser propensas a enfermar de botritis.

Reglas para el riego...

En la Naturaleza las orquídeas están acostumbradas a que sus raíces reciban gran cantidad de humedad ambiental que se vuelve a secar en las calurosas horas centrales del día. Un cambio parecido entre lo ligeramente húmedo y lo seco se hace también necesario en el cultivo en maceta. Después de regarlo, el sustrato debe quedar húmedo para volverse a secar al día siguiente. Como regla básica es válido decir que una orquídea en una maceta de 12 cm debe ser regada o metida en agua una vez a la semana. La rapidez con que se seque el sustrato dependerá, además, de otros muchos factores:

■ Cuanto más elevada sea la humedad del aire de la habitación, menos agua se evaporará del sustrato y, en consecuencia, habrá que regar con menor frecuencia. Si hay sequedad en el ambiente el agua se evaporará de forma sistemática a través de las hojas y el sustrato, por lo que será necesario un riego más repetido.

■ Si la maceta es demasiado grande y entre el cepellón y el borde de la maceta hay una holgura superior a 2 cm, el sustrato necesitará mucho tiempo para volver a secarse y las raíces sufrirán a causa de la humedad.

Por tanto, antes de regar siempre debe hacerse la prueba del dedo para poder comprobar el estado de humedad del sustrato:

■ Se introduce profundamente un dedo en el sustrato. Si solo queda algo húmedo se deberá regar. Si no hay mucha seguridad o se percibe que el sustrato está húmedo, es mejor dejar pasar un día más antes de aportar más agua.

... y sus excepciones

■ Hay que regar más de una vez por semana si las plantas son jóvenes y pequeñas. Si la orquídea es muy grande comparada con la maceta o tiene racimos con muchas yemas, necesitará más agua. El consumo de agua aumenta con el tiempo soleado y caluroso y/o si la habitación tiene fuerte calefacción.

■ No se debe regar más de una vez a la semana si la planta resulta muy pequeña o está debilitada por alguna enfermedad. Si la humedad ambiental se mantiene de forma constante en un 70 u 80 %, o el ambiente del exterior es oscuro o lluvioso, las orquídeas precisarán menos agua.

■ Una orquídea en su fase de reposo necesita muy poco riego.

■ Las orquídeas de cultivo en cesta o bloque no se deben regar con abundancia, les basta con un baño de inmersión o uno de pulverización (ver «Información»).

> PRÁCTICO

Programa de cuidados para las orquídeas

Regar y abonar son tareas del día a día. Con unas medidas adicionales de cultivo se conseguirá que las flores de las orquídeas se desarrollen en todo su esplendor y que las plantas sirvan de adorno durante muchos años.

Como plantas de regiones tropicales y subtropicales, las orquídeas no conocen las épocas meteorológicas de nuestras latitudes. Por lo tanto su mantenimiento no se debe regir por las estaciones del año sino por el ritmo vital de cada una de las plantas. Éste se determina, en primera instancia, por el tiempo de floración. Algunas orquídeas florecen una sola vez al año, muchas de ellas en invierno. Otras, como, por ejemplo, la *Phalaenopsis*, o las reflorecientes, como la *Paphiopedilum* o la *Psychopsis*, florecen varias veces en el mismo racimo floral o se mantienen con flor durante casi todo el año.

Cuidados a lo largo del año

Las medidas de mantenimiento más importantes durante la época de floración y posterior son los controles sobre parásitos y enfermedades (ver páginas 68-75), así como el riego equilibrado y la aportación de abono (ver páginas 48-51). Si el tiempo atmosférico es caluroso y seco necesitarán más agua mientras que la necesidad será menor con un ambiente fresco y húmedo. Además, las orquídeas que florecen con especial abundancia soportan más agua y nutrientes que las orquídeas de menos floración.

Cuidados en la fase de reposo

La mayoría de las orquídeas procedentes de clima cálido se cuidan de forma regular a lo largo de todo el año. Las que proceden de zonas frescas y suaves deben tener una fase anual de reposo para poder volver a florecer (ver página 19).

■ El período de reposo comienza unos dos meses antes de la nueva floración. Una orquídea que haya florecido a principios de invierno debe ser colocada a partir de mediados de otoño en un lugar que sea más fresco de lo normal.

■ Las orquídeas procedentes de ambiente fresco, durante la fase de reposo deben mantenerse por el día a una temperatura entre 12 y 16 °C, por las noches a no menos de 10 °C. Estas orquídeas deben secarse por completo en el período de descanso y como mucho recibirán algo de agua cada dos semanas.

■ Las orquídeas procedentes de ambiente entre suave y fresco, durante la fase de reposo deben mantenerse por el día a una temperatura entre 14 y 16 °C, por la noche debe bajar hasta los 8 °C.

■ Las orquídeas procedentes de ambiente entre suave y cálido no tienen una acusada fase de descanso. Es suficiente con las temperaturas bajas que reinan en la casa durante el invierno. Tampoco hay que regarlas mucho durante esta fase: basta con dos vasitos de agua a la semana.

■ Si se dispone de un jardín, la fase de descanso se puede realizar allí

1

Cortar a la altura de un brote
En el caso de la *Phalaenopsis* es necesario cortar los racimos marchitos a media altura y por encima de un brote. Al cabo de dos o tres meses la planta volverá a formar nuevos racimos.

durante el verano a base de limitarse a dejar las plantas al aire libre (ver página 19). Las frescas temperaturas nocturnas son suficientes para que tenga lugar la fase de descanso.

■ Las orquídeas de las zonas cálidas no pueden quedar, bajo ningún concepto, al aire libre durante el verano, pues no soportarían una eventual bajada de temperaturas por la noche.

Trucos especiales para el cuidado de la belleza

Algunas medidas sencillas pueden ayudar a que las orquídeas florezcan de forma más rápida o a que los panículos florales desarrollen una especial belleza. Ciertas hojas precisan de algo que

se puede denominar como «ayuda al parto» para que se puedan abrir. Además, cada cierto tiempo hay que eliminar el polvo de la planta.

Eliminar las flores marchitas

A pesar de que las flores duran mucho tiempo, en algún momento aparecen las primeras orquídeas marchitas. Se pueden dejar, sin más, o bien eliminar las flores marchitas y así se formarán más deprisa las nuevas flores. No hay que esperar a que se llegue a secar el tallo. En este tipo de rejuvenecimiento se diferencian cuatro grupos:

■ En la *Phalaenopsis* el racimo floral se corta por encima de un brote, es decir, por un engrosamiento de dicho racimo (ver fotografía 1). A partir de este denominado nudo, se

formarán nuevas agrupaciones de flores. Cuantos más brotes se dejen en un racimo, más segura y rápida será una nueva floración. De todas formas los nuevos conjuntos de flores resultan más largos y se tronchan con facilidad, por lo que es mejor cortarlos a media altura. La *Phalaenopsis* volverá a florecer al cabo de tres meses.

■ Pero no todos los ejemplares disponen del mismo vigor. Si el resto del tallo floral viejo se pone marrón y se seca ya no volverá a florecer. En este caso hay que cortarlo por abajo del todo. Luego la planta necesitará de una pausa de floración que puede ser hasta de un año antes de recuperar la fuerza necesaria. Más tarde ya podrá formar nuevos racimos.

■ Algunas clases de *Phalaenopsis* forman en la punta otras flores

Cortar por encima de las hojas
En la *Cattleya* hay que cortar los racimos marchitos, junto con la vaina, justo por encima de las hojas. Es necesario utilizar unas tijeras de jardín muy afiladas, pues las vainas son difíciles de cortar.

Eliminar por la base
En el caso de las *Miltonia* y *Odontoglossum* los racimos marchitos se cortan en su base, lo más bajo que se pueda. El racimo nace entre las hojas o lateralmente desde un bulbo.

Cortar directamente por el bulbo
Los híbridos de *Dendrobium nobile* disponen de un racimo floral muy corto. Por ello para eliminar las flores marchitas se deben cortar con una tijera al comienzo de la vara, directamente por el bulbo.

mientras se marchitan las de abajo. Se puede permitir que siga la floración siempre que su aspecto resulte agradable. En todo caso la planta precisa de mucha energía para producir estas flores. Es necesario cortar los racimos antes de que las flores se marchiten, y eso ayudará a fortalecer la planta y a que se formen nuevas panículas.

■ Hay ocasiones en que a partir de un racimo que haya sido cortado aparece otro nuevo. Lo mejor es eliminarlo, pues no será tan fuerte como el que nace desde la base. En la mayoría del resto de géneros de orquídeas los grupos florales marchitos se cortan desde la base, pues ya no volverán a florecer desde allí. De todas formas se pueden cortar por distintos lugares:

■ En el caso de la *Cattleya* hay que cortar su estilo más corto junto a la cápsula (ver página 53, figura 2). Es necesario utilizar unas tijeras afiladas puesto que las cápsulas son fibrosas.

■ En el caso de la *Miltoniopsis* (ver página 53, figura 3) los racimos se cortan lateralmente en el bulbo, entre las hojas.

■ En los híbridos Nobile el racimo se elimina directamente en el bulbo (ver página 53, figura 4).

Sujetar los racimos de flores

Son muchas las ocasiones en que los racimos de orquídeas de cultivo en maceta tienen que atarse para que no se inclinen o que, a causa del peso, no se acaben por tronchar.

■ Los racimos de la *Phalaenopsis* siempre deben ser atados (figura 1), en algunos géneros de varas cortas, como por ejemplo las de la clase *Cattleya*, no es necesario hacerlo.

■ En la mayoría de las orquídeas de la clase *Dendrobium* toda la planta debe sujetarse a un tutor muy firme para evitar que se vuelque.

■ En el caso de orquídeas que se cultivan en macetas colgantes, en cestas pequeñas o en bloque (ver páginas 36-37), no se suelen sujetar los racimos, sino que se les deja libertad para que sigan su forma de crecimiento natural, colgantes hacia abajo.

Para sujetar los racimos se puede utilizar alambre fino forrado de plástico. También existen unos decorativos clips de colores en

Sujetar los racimos de flores
Los racimos jóvenes se pueden orientar, con ayuda de un tutor, hacia la dirección deseada. Es necesario sujetar el racimo y el tutor al menos por dos lugares. De esa forma quedará con un aspecto muy agradable y no se tronchará después.

Eliminar las hojas
Las hojas viejas situadas en la parte inferior de la planta, o las que hayan resultado dañadas, deben ser eliminadas de forma regular. No se deben cortar, sino limitarse a tirar de ella con mucho cuidado y arrancarlas con una leve sacudida.

Limpiar las hojas
El polvo, así como las manchas de cal, se eliminan muy bien con un paño húmedo de lana. Hay que pasarlo por encima de la hoja en sentido longitudinal y sin apretar. Los aerosoles para abrillantar las hojas o un poco de cerveza pueden servir para eliminar las manchas más complicadas.

forma de libélula o mariposa (ver página 33) o unas vistosas varillas de cristal. Tan pronto como se formen las yemas, el racimo se debe sujetar con un clip a un fino tutor de bambú.

El tutor de bambú o de madera siempre se debe colocar por detrás de los racimos de flores. Así se mantienen de forma más estable y pueden soportar el peso de las flores.

Para sujetar el conjunto se deben utilizar al menos dos clips. Si con motivo de la floración, el racimo resulta muy pesado y se vuelca hacia delante, por seguridad, habrá que utilizar un clip más.

Racimos colgantes

En las orquídeas cultivadas en maceta y con racimos colgantes puede ocurrir que las nuevas varas de flores no crezcan por encima del borde de la maceta, sino que lo hagan en el sustrato. En el caso de cultivo en cesta o en bloque esto no supone ningún problema, ya que el racimo puede crecer y sobresalir de la cesta dirigiéndose hacia abajo. Sin embargo, en la maceta no encuentra ninguna salida. En tales casos es necesario poner a tiempo una guía de plástico duro (como puede ser una etiqueta de las que sirven para hacer el seguimiento de las semillas) por debajo del comienzo de la vara y que llegue al borde de la maceta. El racimo será guiado por el plástico hacia el borde de la maceta. Luego se podrá retirar esa guía.

Abrir las envolturas de las flores

Aunque las orquídeas formen racimos florales y produzcan suficientes yemas, puede ocurrir que éstas no se puedan abrir. Tal es el caso, por ejemplo, de la clase *Cattleya*. Las flores se desarrollan dentro de una vaina. La cáscara está cerrada y debe ser atravesada por el tallo que empieza a crecer. Puede suceder que, en función de las condiciones de cultivo, en algunas ocasiones no se abra la citada envoltura, con lo que se hace preciso cortarla para dar salida a los pequeños brotes (ver página 79).

Algo parecido ocurre con la *Miltoniopsis* y otras orquídeas: en ellas el racimo floral se engancha a veces en una hoja en forma de V y procede a enrollarse alrededor de ella. En este caso es necesario quitar con sumo cuidado la hoja para hacer que el racimo salga al exterior.

Abrir las yemas

Existen algunas (pocas) orquídeas que, en especial en invierno y con aire seco, no pueden abrir las yemas que se han formado. Es necesario ayudarlas y separar las hojas de las flores.

Otras medidas para el cuidado

- **Eliminar las hojas viejas:** las hojas marchitas o dañadas no solo son de aspecto poco vistoso, sino que también se constituyen en la puerta de acceso de los agentes patógenos. Por tanto hay que inspeccionar con regularidad las orquídeas y suprimir esas hojas muertas (ver la figura 2).
- **Limpiar las hojas:** si una orquídea tiene mucho polvo (ver la figura 3), es necesario ducharla. No obstante, si se utiliza un agua demasiado calcárea se pueden formar nuevas manchas (ver página 78). Lo mejor es limpiar las hojas con un paño de lana. Como solución para eliminar el polvo y las manchas se sugiere un aerosol abrillantador de hojas o bien un poco de cerveza, aunque ésta no se debe aplicar de forma directa sobre las hojas, sino en el paño, a fin de que las hojas no brillen de manera artificial. En caso de que se pulvericen las hojas, las flores no pueden quedar húmedas pues, en caso contrario se formarían manchas negras.

SUJETAR LOS RACIMOS DE FLORES

E	F	M	A	M	J	J	A	S	O	N	D

Tiempo necesario:

10 minutos

Material:

- Un tutor de bambú o madera para cada racimo de flores.
- Alambre fino forrado de plástico o clips especiales para sujetar, por ejemplo, en forma de libélula.

Herramientas y accesorios:

- Tenazas para cortar los tutores demasiado largos.
- Tijeras afiladas para cortar alambre.

> PREGUNTAS Y RESPUESTAS

Consejos expertos acerca de los cuidados de las plantas

Hay ocasiones en que las orquídeas no quieren crecer como debieran. Los motivos pueden ser muy variados: tal vez la planta esté colocada en un sitio nuevo o el agua del riego o el abono no sean los adecuados. La mayoría de las veces existen unas soluciones muy sencillas para estos problemas.

? **No estoy seguro de que el agua del grifo sea adecuada para el riego de mis orquídeas. ¿Qué tengo que hacer para que la analicen?**

En primera instancia es necesario preguntar a las autoridades pertinentes sobre los valores de conductividad del agua corriente. Esta característica se mide en microsiemens (µS) o en EC (1 EC = 1000 µS), es decir, *conductividad eléctrica*. Después habrá que comparar esta cifra con los valores que aparecen en la tabla de la página 48.
Si el valor está por encima de los valores ideales de 200 a 400 µS, habrá que mezclar el agua del grifo con agua destilada en una proporción de 1:3. Si los valores de conductividad son los correctos pero, a pesar de eso, se siente preocupación por el bienestar de las orquídeas, lo mejor es llevar una muestra de agua a un laboratorio de análisis a fin de que comprueben el contenido de oligoelementos. Pero, para disminuir los gastos, es necesario indicar al entregar la muestra que no se trata de un estudio de potabilidad del agua.

Incluso pueden surgir problemas al regar con agua de lluvia. Si, por ejemplo, en el tejado de la vivienda se ha montado un nuevo canalón de cobre, la proporción de este metal en el agua puede ser elevada. También pueden aparecer altas concentraciones de hierro, manganeso o zinc.

? **Tengo la posibilidad de colocar mis orquídeas al aire libre durante el verano. ¿Es recomendable hacerlo o no? ¿Qué debo tener en cuenta para que no sufran daños?**

Si las orquídeas, ya sean cultivadas en ambiente fresco o suave, se pueden colocar en el jardín durante los meses de verano, lo agradecerán con un crecimiento vigoroso y unas estupendas flores. De todas formas, tampoco resulta muy complicado encontrar un campamento o zona de verano para las orquídeas. Las plantas se pueden colgar, sin más, de la rama de un árbol que esté a la sombra. De esa forma los insectos no podrán trepar hasta las macetas como harían

si estuvieran en el suelo. También resulta muy adecuada la parte más en sombra de la pared de la casa. Lo mejor sería colocar las orquídeas en una tarima baja hecha de tableros o ladrillos, o bien sobre un estante para plantas. Para una colección mayor de orquídeas, también se puede construir una casita con listones de madera recubiertos con una lámina impermeable, para proteger a las orquídeas de la acción directa del sol o la lluvia. Incluso se puede instalar un dispositivo de riego automático para, en caso de tener que ausentarse durante un tiempo prolongado, que la planta se pueda mantener por sí sola sin necesidad de recurrir al cuidado de personas extrañas.

? **Tengo orquídeas de varios géneros. ¿Necesita cada uno de ellos un tiempo de luz diferente? ¿Qué debo tener en cuenta?**

En nuestras latitudes no es razonable tener que diferenciar los géneros de las orquídeas de acuerdo según sus necesidades de luz. Ya que las plantas que nos ofrece el comercio son, en la inmensa mayoría de los casos, de procedencia tropical y subtropical, todas necesitan como circunstancia óptima de un mínimo de 12 horas de luz al día (ver página 21). En verano eso no supone ningún problema pues las plantas reciben la suficiente luz natural. En ocasiones incluso es necesario colocarlas a la sombra para protegerlas de los rayos solares de mediodía (ver página 46). Sin embargo, en invierno el horario de luz diurna suele ser más corto. Es necesario acercar las orquídeas a la ventana para que puedan disfrutar al máximo de las ventajas de la luz del día. Además sería conveniente proceder a la instalación de algún tipo de luz artificial supletoria (ver página 46).

[?] ¿A qué se puede deber que mi *Phalaenopsis* haya dejado de florecer?

Cada clase de orquídea tiene su propio ritmo, la mayoría de ellas florecen una vez al año. Una gran excepción son los híbridos del género *Phalaenopsis* que, cuatro meses después de la última floración, vuelven a ofrecer nuevas flores. En ocasiones este género también puede mantener una pausa de floración, que incluso llega a durar un año, sin que se encuentren motivos para ello. Si pasado algún tiempo siguen sin florecer, habrá que colocar la planta durante dos meses en un lugar más fresco. Las habitaciones con calefacción en el suelo (calor radiante) por las noches no se enfrían tanto como las que tienen una calefacción normal. Por ello la diferencia de temperatura entre el día y la noche, el denominado descenso nocturno (véase página 19), es

demasiado bajo para las orquídeas, lo que repercute en la formación de las flores.

[?] Me he mudado hace pocos meses y en mi nueva casa las orquídeas no crecen ni florecen en la repisa de la ventana con la belleza anterior. ¿A qué se puede deber?

Puede ocurrir que el ajetreo de la mudanza haya obligado a descuidar un poco a tus orquídeas. Por esa razón habrán llegado a la nueva repisa de la ventana con cierta debilidad, además es seguro que en su nueva ubicación la proporción de luz sea distinta que en la casa anterior. Incluso ha podido darse un cambio en la calidad del agua y a la hora de regar se haya tenido que recurrir al agua de grifo por no tener posibilidad de almacenar la de la lluvia. O bien que, aunque se riegue con agua de lluvia, la nueva vivienda tenga unos canalones que aporten al agua un exceso de cobre o zinc. A lo mejor las orquídeas reciben ahora poca luz o sienten demasiado frío o, por el contrario, un exceso de calor.

Por tanto hay que intentar mejorar las condiciones de vida de esas orquídeas y, además, tener un poco de paciencia, pues puede ser necesario que pase un año hasta que las plantas se hayan acostumbrado a su nuevo hábitat y vuelvan a crecer y florecer como lo hacían antes.

[?] He oído decir que puede ser recomendable, para elevar el contenido de oxígeno del agua de lluvia que se utilice para regar las orquídeas, añadir algo de polvo de meteoritos. ¿Es cierto?

Existen indicios de que el agua con alto contenido de oxígeno favorece el crecimiento de las orquídeas. Pero el burbujeo del oxígeno hará bajar el contenido de hierro en el agua y faltará para la alimentación de la planta. De hecho será necesario añadir algo de hierro al abono. El esfuerzo casi no merece la pena pues un alto contenido de oxígeno en el agua no aporta demasiadas ventajas.

[?] ¿Soportará una orquídea que la coloque durante mucho tiempo en el centro de una habitación?

No, eso no lo soportará la planta. Nuestro ojo no lo percibe, pero la luz disminuye notablemente si nos alejamos de la ventana (ver página 21). La única excepción se puede dar en habitaciones muy luminosas y durante las estaciones más claras. Nunca es bueno para las plantas. Se puede colocar la planta en el centro de la sala en la época de la floración por el motivo estético de disfrutar de las flores.

[?] Para regar las orquídeas o someterlas a un baño de inmersión, las retiro de la repisa de la ventana. ¿Debería marcar las macetas para que luego vuelvan a estar en el lugar exacto del que las retiré?

No es necesario marcarlas. En ventana con poca claridad las orquídeas orientan sus hojas hacia la luz; es un comportamiento muy fácil de observar. La posición de las hojas nos ayudará a colocar la planta en el lugar en que estaba. Sin embargo, si la ventana no es bastante luminosa no se podrá apreciar bien la orientación de la planta hacia la luz, por lo que resulta indiferente el lugar en que estuviera ubicada en un principio.

Nuevas generaciones de orquídeas

Desde que los modernos procedimientos han convertido la reproducción de las plantas en algo muy sencillo, las orquídeas han llegado a ser unas plantas de interior muy asequibles. Con el método de división uno mismo puede llegar a obtener nuevas plántulas e intercambiarlas con otros aficionados.

El cultivo de las orquídeas permite su protección

Actualmente no solo es el convenio de Washington sobre protección de las especies amenazadas el que se ocupa de la defensa de las orquídeas silvestres. Los modernos métodos de división hacen posible que gran cantidad de orquídeas hayan sido criadas en los laboratorios de plantas a través de semillas o de cultivo de tejidos. En Europa se producen cada año miles de ellas. Para los amantes de las orquídeas esto supone una gran ventaja: por medio del cultivo se generan variedades de buen crecimiento y espléndidos colores que, además, están acostumbradas al clima de las habitaciones de nuestras viviendas.

Multiplicar uno mismo sus orquídeas

Algunos de los métodos de división incluso se pueden llevar a cabo de forma doméstica. Entre ellos encontramos los métodos vegetativos de reproducción, como son los de división de la planta o bien por esquejes o estolones. Lo más complicado es la reproducción generativa natural, es decir, la reproducción sexual a través de semillas. De hecho existen posibilidades teóricas de conseguir las condiciones básicas de esterilidad necesarias para la reproducción de orquídeas por semillas, con lo que tal procedimiento se podría llevar a término en la propia vivienda del aficionado, pero resultaría tan complicado que sería mejor dejarlo a los especialistas, sobre todo en el caso de reproducción por un cultivo de tejidos.

Quien no se quiera perder la oportunidad de ver crecer a los «bebés-orquídea», puede comprar las plantitas en recipientes estériles y cuidarlas por sí mismo sin demasiado esfuerzo.

En sus primeros tiempos, la afición a las orquídeas alcanzó poco auge a causa de los elevados costes de las plantas en sus lugares de origen: hasta los años 70 del siglo XX la mayoría de las orquídeas que se vendían en Europa y América procedían de las selvas vírgenes y los bosques de nieblas de los trópicos. Los escasos conocimientos sobre el cultivo de estas plantas hacía que muchas de ellas murieran enseguida de haberse producido la floración. Numerosas especies se llegaron a erradicar a causa de una explotación abusiva y otras muchas están hoy en día en peligro de extinción.

En la Naturaleza y de acuerdo con cada especie de orquídea existen diversos insectos, así como colibríes, que sirven para la polinización de sus flores. Los criadores lo simulan con unas tablillas de madera.

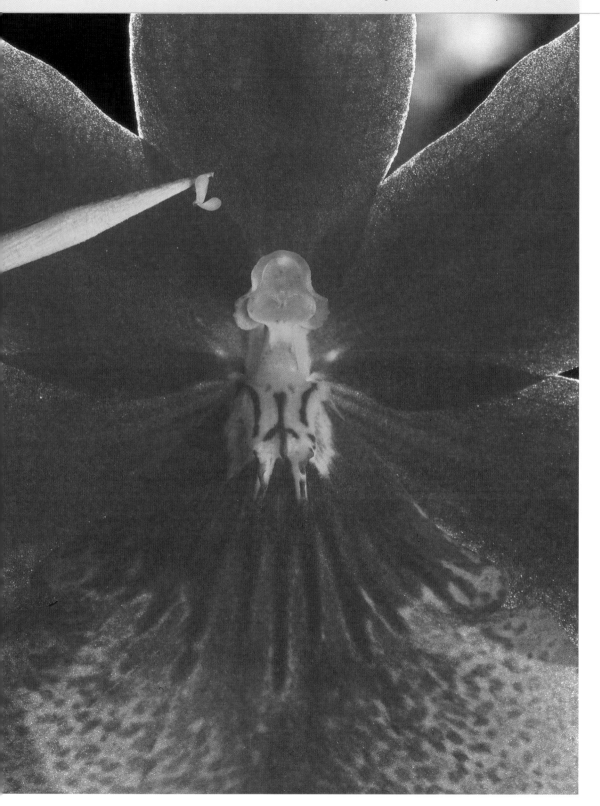

> PRÁCTICO

Hijuelos, esquejes y similares

Reproducción gratuita de las orquídeas: algunas variedades se ocupan por sí mismas de la reproducción y forman los denominados estolones. Otras permiten su reproducción o división a base de esquejes de tallo.

Las orquídeas cultivadas por uno mismo sirven para ampliar la colección y, además, las plantitas son objeto de deseo para muchos otros coleccionistas. En Internet se pueden localizar bolsas de intercambio en muchos países del mundo.

REPRODUCCIÓN RÁPIDA POR ESQUEJES

E	F	M	A	M	J	J	A	S	O	N	D

Tiempo necesario:

Unos 20 minutos por planta

Material:

- Sustrato especial para orquídeas.

- Macetas pequeñas para plantar los esquejes.

- Polvo de carbón activo para desinfectar los puntos de corte.

Herramientas y accesorios:

- Tijeras o navaja de jardín, ambos bien afilados.

Atención: antes de usarlas, es imprescindible esterilizar las herramientas por medio de una llama.

Como ellas mismas: hijuelos

Poco antes de que se marchiten las últimas flores del racimo de una *Phalaenopsis* puede ocurrir que en el ápice del tallo floral se formen nuevas hojas. En la planta madre estas hojas van por parejas. Posteriormente aparecen raíces jóvenes y se forma una planta completa que se denomina hijuelos o *keike* (palabra hawaiana que significa bebé).

La formación de hijuelos es predominante en el caso de orquídeas monopodiales, como, por ejemplo, las *Phalaenopsis*, aunque también lo hacen algunas simpodiales; los híbridos de la *Dendrobium* forman estos estolones. En esos casos la mayoría de las veces crecen pegados a los bulbos y no a los racimos de flores. Estos estolones deben ser retirados con sumo cuidado.

Con las siguientes medidas se puede favorecer la formación de nuevas generaciones:

- Hay que pulverizar las raíces jóvenes dos o tres veces al día y elevar la humedad del aire a base de colocar bandejas de evaporación.

- Las raíces jóvenes se podrán mantener húmedas durante más tiempo si se coloca un poco de musgo alrededor del cuello de la raíz de la nueva planta y se anuda con alambre forrado de plástico. En estas situaciones hay que vaporizar mucho menos.

- Cuando el hijuelo haya alcanzado un tercio del tamaño de la planta madre y dos o tres de sus raíces sean igual de largas que el estolón, se podrá retirar el hijuelo de la planta madre junto con un trozo de estolón. Después, para evitar posibles infecciones, habrá que rociar las heridas con polvo de carbón activo.

- Es necesario elegir una maceta pequeña (de 6 a 9 cm) y realizar el cambio de raíces con sumo cuidado. Rellenar con sustrato fresco y luego regar. El riego será matutino para que al llegar las horas de la noche se haya secado de nuevo el sustrato.

- Hasta que las raíces hayan crecido bastante, es necesario pulverizar agua con frecuencia y colocar la planta en un lugar que sea suficientemente cálido y luminoso.

- Las plantas que han crecido a partir de estolones tienen una gran ventaja: pueden florecer sin más en el transcurso de los siguientes meses.

Separar los hijuelos
De los estolones de la planta madre se separan lo que será el hijuelo y luego se cortarán las plantitas con una navaja afilada por debajo del cuello de las raíces.

División de las orquídeas
En ocasiones los ejemplares de las orquídeas simpodiales se separan por sí mismos al realizar un trasplante. Si no es así, se puede tirar con sumo cuidado de las partes de las plantas y retorcerlas un poco. De esta manera se soltarán bien unas de otras.

Conseguir esquejes de tallo
En las ramas con raíces aéreas se puede separar por debajo de la raíz un trozo de tallo para servir de esqueje. En el caso de la *Ludisia* (ver ilustración) también se puede cortar un trozo del tallo principal.

Muy sencillo: división

Las orquídeas simpodiales se pueden reproducir de forma muy sencilla por división de la planta. Cada nuevo tallo madurará hasta formar un nuevo ejemplar. Algunas de ellas, de gran tamaño, dejan caer trozos desde la maceta, pero las más pequeñas deben ser ayudadas.
■ Lo primero es despegar la planta de la maceta y separar con mucho cuidado el sustrato.
■ Del tallo más joven que esté completo se deben contar tres bulbos y en esa zona se corta el cepellón con una navaja afilada y desinfectada con llama. Hay que dejar al menos tres bulbos y un tallo nuevo. Si las plantas son más pequeñas solo echarán raíces las especies que son de enraizamiento sencillo, como las *Bulbophyllum*.
■ Antes de plantarlas y para que no se puedan desarrollar agentes patógenos, hay que espolvorear las heridas de los cortes con polvo de carbón activo. En el caso de las *Paphiopedilum* y sus géneros próximos, los tallos no suelen estar unidos de forma muy resistente. Pero en la mayoría de los casos restantes habrá que usar tijeras para poderlos separar.

Cortar los esquejes

Las orquídeas monopodiales trepadoras, como la *Angraecum*, la *Epidendrum* o la vainilla, se pueden multiplicar por esquejes de tallo. Son trozos de tallos que llegan a formar plantas completas.
■ Hay que separar un trozo de tallo por debajo de las raíces aéreas. Después se espolvoreará el corte con polvo de carbón activo.
■ Es necesario eliminar las hojas situadas más abajo. En el trozo de tallo correspondiente debe haber al menos de dos a tres raíces que puedan ser plantadas. Las raíces situadas más arriba pueden sobresalir por la maceta, pero en tales casos se precisará de una elevada humedad del aire.
■ La parte inferior de la planta echará hojas laterales en los siguientes meses.
■ Una excepción es la *Ludisia discolor* con su tronco carnoso. Sin tener que sacar la planta de la maceta, con una navaja afilada se pueden cortar los nuevos tallos laterales y también el vástago central por encima de la base y plantarlo en un sustrato fino que sea adecuado para orquídeas. Los puntos de corte se espolvorearán con polvo de carbón vegetal. Al cabo de dos o tres meses ya habrán crecido los plantones y la planta madre también habrá vuelto a brotar.

> PRÁCTICO

Así se reproducen las orquídeas

Los viveristas consiguen nuevas orquídeas a base de polinizar y cruzar las plantas madre tal y como hace la Naturaleza. Si se obtiene una nueva orquídea que parece muy prometedora, el laboratorio se puede encargar de reproducirla en grandes cantidades.

En la reproducción generativa o sexual se combinan las informaciones genéticas de las plantas madre. Así surgen plantas con nuevas características. Los criterios más importantes para la selección de las plantas madre son, por ejemplo, el tamaño, la forma y el color de las flores, la resistencia de las mismas y la frecuencia de la floración. En el caso de las orquídeas estas posibilidades de combinación son muy numerosas, pues no solo se pueden cruzar plantas de una misma especie, sino también de distintas clases o incluso con otros géneros. El cruce entre las diversas especies y géneros constituye lo que se denomina híbridos (ver páginas 82-83).

Reproducción natural: la polinización

Los obtentores que desean combinar de forma orientada las características de distintas plantas madre simulan la polinización: toman polen de las flores de la planta padre y lo espolvorean sobre el estigma de una flor de la planta madre. Según sea la especie, la semilla madurará al cabo de tres a nueve meses (ver figura 1). Las semillas de las orquídeas son diminutas, pues no disponen de tejidos alimenticios que se ocupen de ofrecer los nutrientes necesarios a la semilla. En la Naturaleza solo pueden germinar si encuentran en la tierra determinados hongos (micorrizas) que hacen brotar a las semillas y abastecen de nutrientes a esas plántulas. Los cultivadores aportan a las semillas los agentes nutritivos (agua, azúcar y sales) que necesitan los embriones para crecer (ver figura 2). El medio de cultivo debe ser estéril, pues de lo contrario se podría contaminar con bacterias u hongos dañinos. Las semillas germinan entre los tres y los nueve meses. Las plántulas necesitan después de uno a dos años y medio hasta que se transforman en vigorosas plantas jóvenes. Durante todo este tiempo es necesario mantenerlas en recipientes de plástico estériles, cerrados y sometidos a iluminación artificial en un laboratorio.
A los aficionados a las orquídeas les resulta muy complicado poder practicar en su vivienda esta manera de cultivo. En todo caso, si se desea formar un cultivo propio, se pueden enviar las cápsulas de semillas (cápsulas seminales) a un laboratorio especializado y dejar que las plántulas se cultiven allí durante dos años.

Criar plantas jóvenes en casa

Hoy en día los recipientes estériles antes citados se pueden conseguir, por ejemplo, en las exposiciones de orquídeas o bien a través de Internet. Eso hace factible conseguir que crezcan las

---

Información

PISTA LIBRE PARA LAS ORQUÍDEAS

En las exposiciones de orquídeas se pueden adquirir plantas y encontrar muchas propuestas:

■ Se pueden conocer y comprar muchas orquídeas nuevas de especies raras y que estén bien cultivadas.

■ Si existen dudas, los especialistas identificarán a las orquídeas por su nombre exacto.

■ El contacto con criadores, jardineros y aficionados se presta al intercambio de valiosas informaciones.

orquídeas-bebé en un domicilio particular (ver figura 3).

■ En primavera, cuando la luz asegura un buen crecimiento, se extraen las plántulas de los recipientes estériles y se plantan en un sustrato ligero (ver figuras 4 y 5).

■ Si la maceta tiene más de 10 cm de diámetro, entonces es necesario rellenarla con una capa de drenaje.

■ En las primeras dos semanas las plantas jóvenes deben ser cultivadas en un ambiente que vaya de muy húmedo a mojado. Para eso, durante el día se debe cubrir la planta con una bolsa de plástico transparente. Se colocarán en la maceta cuatro tutores que formen una especie de cabaña y luego se echará por encima la bolsa que ya no se podrá escurrir. Por las noches se retirará la bolsa para que la planta se seque de nuevo y no aniden pequeños hongos. La maceta debe estar en un lugar muy claro, pero nunca debe recibir la incidencia directa de los rayos solares.

Reproducirse a millares

Los obtentores producen enormes cantidades de orquídeas en laboratorios estériles por medio de un cultivo por tejidos (reproducción por meristemas). La planta se coloca bajo un microscopio, se extraen de ella células no especializadas capaces de dividirse y se colocan en un medio nutritivo. Una vez que se dividen se las coloca en otro medio de alimentación y se las deja desarrollar hasta convertirse en plantas completas. Así, a partir de la planta madre, se generan miles de orquídeas jóvenes idénticas.

Reproducción por semillas
Las semillas para la siembra se obtienen la mayoría de las veces a partir de cápsulas seminales no maduras. Todavía no están envueltas en una cáscara resistente y de esa forma las semillas germinarán mejor.

Separar las semillas
Las semillas, diminutas hasta parecer polvo, se colocan sobre nutrientes estériles. Algunas de ellas germinarán al cabo de nueve meses.

Plantas jóvenes en recipiente
Unos dos años después, las orquídeas jóvenes habrán crecido tanto que se las puede retirar del recipiente y sacarlas de su entorno estéril.

Lavar el medio nutritivo
Es necesario lavar a conciencia el medio nutritivo; se debe hacer entre las raíces con agua corriente y algo templada. Cuidado: las raíces se rompen con facilidad.

Guardería de orquídeas
Ahora se colocarán varias plantitas juntas en una maceta provista de un sustrato fino. Una vez que queden demasiado apretadas se pasarán a macetas independientes.

❭ PREGUNTAS Y RESPUESTAS

Consejos expertos acerca de la reproducción

La reproducción de las orquídeas ocurre casi por sí misma: las plantas grandes toleran muy bien una división. Si al trasplantarlas sobran algunos bulbos, a partir de ellos se pueden formar nuevas orquídeas. Si se tienen en cuenta algunas reglas, se podrá conseguir la cría de plantas jóvenes compradas.

? He comprado plantas jóvenes metidas en un contenedor estéril. ¿Dónde debo colocarlo hasta que las trasplante en primavera?

Lo mejor es que el recipiente se coloque justo en el mismo lugar en que después se vaya a situar la orquídea joven. Para ello hay que tener en cuenta que las oscilaciones térmicas de esa zona no sean demasiado elevadas, como podrá ocurrir, por ejemplo, si el lugar recibe una radiación solar demasiado intensa. Luego, la modificación de la temperatura provocará que se separe un poco la tapa del recipiente, con el peligro de que entren esporas de hongos existentes en el ambiente. Si eso ocurriera, estas esporas germinarían pasados uno o dos días e invadirían de inmediato tanto el nutriente como la plántula. Tan pronto como se reconozca una infección por hongos habrá que retirar la orquídea del medio de alimentación y

trasplantarla y cuidarla como se ha descrito anteriormente (ver página 63, figuras 3 a 5). Para que no puedan entrar esporas en el recipiente no se debe abrir nunca la tapa, pues en caso contrario se contaminará de inmediato el nutriente. El envase sólo se puede abrir una vez que las plantitas hayan comenzado a despuntar.

? Me gustaría llevar a un laboratorio las cápsulas seminales de mis orquídeas para que consiguieran vástagos. ¿Cuánto tiempo puede pasar hasta que se desarrollen plantas a partir de semillas?

El desarrollo a partir de semillas hasta llegar a convertirse en plantas con flores dura bastante tiempo; aunque este parámetro es muy variable según cada especie, se pueden dar algunos datos aproximados: pasarán de tres a

nueve meses hasta la germinación. Después hay que contar con un espacio de tiempo comprendido entre 18 y 30 meses para que la planta de laboratorio desarrolle un diminuto vástago y pasarán de dos a cinco años hasta que a partir de una planta joven se forme una orquídea florida. Desde la polinización hasta la floración pueden transcurrir de cuatro a nueve años. Por término medio hay que contar con cinco o seis años.

? Mi orquídea se ha hecho demasiado grande y me gustaría dividirla. ¿Lo soportaría? ¿Cuántas veces puedo hacerlo?

Las orquídeas soportan muy bien la división siempre que los trozos independientes no sean demasiado pequeños. De esa forma es posible hacer que estos trozos crezcan una y otra vez hasta el punto de poder regalarlos a amigos y familiares. El momento ideal para la división de la orquídea es el del trasplante: la planta vieja se hace más pequeña gracias a la división, lo que permitirá volverla a plantar en la maceta dentro del mismo macetero para colocarla en su lugar habitual en la repisa de la ventana. Además se pueden obtener una o varias plantas nuevas. Por otro lado, esa operación de división es muy interesante si una orquídea, pasados los años, ha crecido hasta conseguir un tamaño imponente y ha formado muchos tallos frontales. Cada uno de estos tallos florece año a año con más fuerza que los de una planta que haya sufrido divisiones y tenga menos brotes.

[?] He oído que también se pueden reproducir orquídeas simpodiales a través de retrobulbos. ¿Cómo funciona esto y qué debo tener en cuenta?

Casi todas las orquídeas simpodiales se pueden reproducir por división (ver páginas 60-61), pero siempre se recomienda dejar al menos tres bulbos. No obstante, puede ocurrir que, al trasplantarla o en la división, aparezcan bulbos independientes más viejos y sin hojas que no tienen ramas frontales pero que parecen resistentes y saludables. Son los llamados retrobulbos.
En ocasiones se cortan al hacer el trasplante, pues de lo contrario la planta sobresaldría por la maceta o en la división quedarían trozos sobrantes.
Merece la pena seguir cuidándolos. Los retrobulbos se deben plantar sin más en un sustrato fino. Si no se mantuvieran estables en la maceta se pueden unir a un tutor por medio de un alambre para que se asienten con firmeza en su posición. De esa forma se evita que el bulbo se tuerza y las raíces se dañen al crecer. Es importante que no sufran humedades por estancamiento y tengan mucha luz.
La mayoría de las veces los retrobulbos crecen de forma lateral y forman nuevas plantas. Éstas pueden llegar a florecer pasados unos años. Pero también ocurre que este tipo de bulbos al cabo de uno a seis meses, o incluso más tarde, puedan echar hojas. Por ello no hay que perder la paciencia; mientras que el bulbo se mantenga firme, merece la pena esperar.
Las orquídeas simpodiales no se reproducen por retrobulbos, pues tras varios años de cuidados no forman más de tres bulbos. Entre ellas encontramos, por ejemplo, a las *Polystachia* o *Catasetum*. En ellas mueren los bulbos viejos y luego se forman otros nuevos.

[?] Quiero ampliar mi colección de orquídeas y no sé si debo elegir híbridos o unas especies mejores. ¿Qué ventajas tiene el cultivo de híbridos frente a las especies simples de orquídeas? ¿Es mejor comprar plantas importadas u orquídeas de cultivo nacional?

De forma general se puede asegurar que el cultivo de híbridos es preferible al de las clases puras; aquellos son más sencillos de cuidar y además florecen mejor. Las dos plantas progenitoras de una clase que hayan crecido en el país cumplen un criterio de selección muy importante y es que ya han florecido en él. Un híbrido está formado, como poco, por dos clases o bien una clase y un híbrido o bien por dos híbridos. Seguro que en nuestras latitudes también florecerá, ya que procede de padres que tienen capacidad de floración, lo que supone un paso adelante en la marcha de la Naturaleza. En un híbrido se reúnen muchos y muy diversos genes. Se genera un gran espectro de nuevas plantas de las que los criadores solo eligen para cultivar las que tienen mejores características y mayor belleza. También las especies simples son, por supuesto, plantas que crecen bien y en consecuencia se las cultiva. Sin embargo, mantienen sus características primarias. Aunque procedan de varias generaciones atrás, su cultivo en nuestro propio domicilio nunca resultará tan afortunado como el que se puede conseguir con los híbridos.
Lo mismo ocurre con plantas importadas de Europa. Tienen la gran ventaja de que ambos padres proceden y han florecido en esas latitudes y eso significa que las plantas madre están capacitadas para crecer y florecer bajo unas condiciones de luz y de temperatura bastante propias de la zona. Las plantas que proceden de Asia, Sudamérica o África precisan para florecer durante todo el año del sol intenso, las elevadas temperaturas y la humedad del aire que corresponden a su lugar de nacimiento. Los descendientes de estos padres lo tienen mucho más complicado fuera de su territorio y florecen con dificultad e incluso no llegan a hacerlo.

Así las orquídeas se mantienen en forma

«Es mejor prevenir que curar»; el dicho también es válido para las orquídeas. Quien cuida adecuadamente sus orquídeas habrá establecido las mejores bases para que sus plantas tengan buenas defensas, se mantengan en forma y conserven la salud. Y si las orquídeas enfermaran en alguna ocasión, existen métodos y remedios para curarlas.

En principio las orquídeas no son demasiado propensas a padecer enfermedades. El requisito previo para que las plantas sean robustas y tengan buena capacidad defensiva frente a insectos, virus, bacterias u hongos es, en todo caso, cuidarlas en la forma adecuada y mantenerlas siempre con unas condiciones de vida óptimas. Muchas enfermedades son consecuencia directa de errores de cultivo: las orquídeas que no reciben luz durante mucho tiempo están en un ambiente muy seco, o se riegan con demasiada frecuencia y siempre tienen los pies mojados, carecen de suficiente fuerza para poder resistir los ataques de parásitos o agentes patógenos. Además las orquídeas también se debilitan y empobrecen si no tienen los suficientes nutrientes, que se les deben facilitar en forma de un buen abono especial para orquídeas, o bien si se las riega con agua inadecuada.

Lo mejor es controlar

Las orquídeas, aunque hayan sido cuidadas a la perfección, para que prosperen y den gran abundancia de flores deben ser revisadas con cierta periodicidad para evitarles huéspedes no deseados: quien descubra a tiempo pulgones, arañas rojas, gorgojos y bichos similares o unas feas manchas en las hojas, podrá atacar a tiempo los males causantes de esos primeros síntomas. Sin embargo, si las plantas están muy dañadas puede resultar muy complicado conseguir que se deshagan de sus parásitos. Además existe el peligro de que una planta enferma pueda contagiar a otras sanas que estén a su alrededor. Las enfermedades también pueden provenir de plantas recién compradas que no hayan sido bien examinadas.

El diagnóstico correcto

En cierto modo resulta complicado distinguir entre errores puros de cultivo, como pueden ser el abuso o la escasez de abono, con un ataque de hongos o bacterias. Lo fundamental es un diagnóstico correcto (ver páginas 72-75) que servirá para elegir entre la gran variedad de remedios y métodos disponibles para la protección de una planta enferma.

Las mariquitas australianas contra la cochinilla algodonosa (arriba), las crisopas contra los pulgones (a la derecha): los animales útiles sirven de auxiliares cuando llega la hora de proteger las plantas.

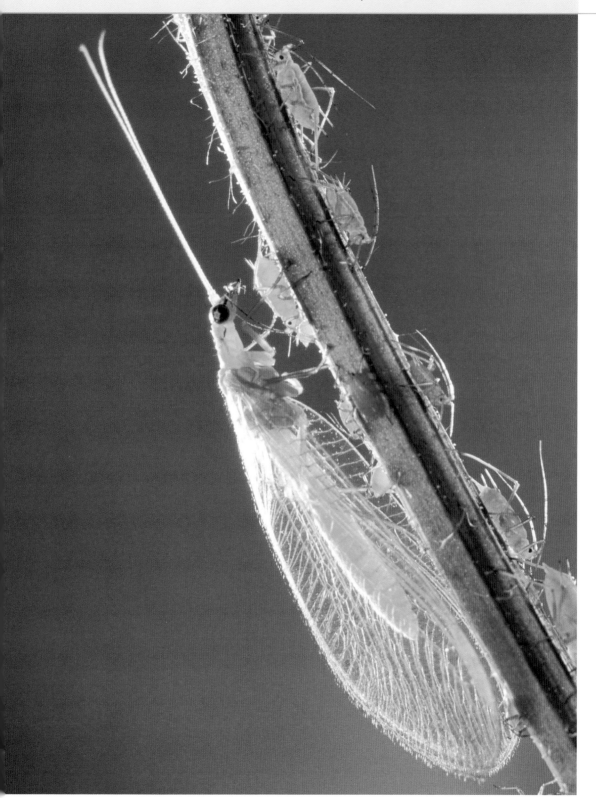

Para que las orquídeas se mantengan sanas

Lo esencial en cuanto a la protección de las plantas es un cuidado correcto y una buena higiene. De esa forma casi no serán atacadas por parásitos y enfermedades, y si se presentan se podrá contraatacar con rapidez.

Cuanto antes se reconozcan las enfermedades o los parásitos, más sencillo y eficaz será el tratamiento. Por tanto es necesario, de forma regular, que todas las plantas en general, pero más en especial las débiles, las recién trasplantadas, las de nueva adquisición, las que hayan sido objeto de división y las plantas jóvenes, sean controladas en cuanto presenten síntomas de enfermedad y, en su caso, poder actuar deprisa en beneficio de su salud.

Las placas amarillas pegajosas con sus decorativas formas sirven de ayuda en el diagnóstico de parásitos.

Prevención a base de buenos cuidados

Unos buenos cuidados sirven para mantener saludables a las orquídeas. Quien tenga en cuenta las siguientes reglas básicas, casi no tendrá problemas con las enfermedades de sus plantas:
■ Hay que elegir solo orquídeas a las que se les pueda ofrecer una ubicación correcta con un adecuado intervalo de temperaturas.
■ Antes de regar hay que comprobar si el sustrato está seco y utilizar tan solo agua de riego que sea pobre en cal y en sales (ver páginas 50 y 51).
■ Las orquídeas no son exigentes de nutrientes, por lo que no hay que suministrarles grandes cantidades de abono (ver páginas 48 y 49).
■ Hay que tener muy en cuenta que las orquídeas no se deben colocar en el paso de corrientes de aire. Se debe poner especial atención a las orquídeas en aquellos momentos en los que no sea sencillo conseguir unas condiciones óptimas de cultivo para ellas.
■ Si el verano es muy seco, se debe incrementar la humedad del aire (ver páginas 46 y 47), de lo contrario serán atacadas por parásitos como la araña roja.
■ Si en invierno no hay bastante luz para conseguir un desarrollo sano de la planta, será necesario instalar luz artificial supletoria (ver página 46), de lo contrario las orquídeas enfermarán enseguida y perderán su capacidad de resistencia.
■ Tan pronto se reconozcan los primeros signos de enfermedad o parásitos, hay que llevar a otra ventana tanto la planta afectada como las que estén junto a ella. Esta cuarentena sirve para que las otras orquídeas no se puedan contagiar.

La higiene mantiene la salud

Las enfermedades y los parásitos se pueden prevenir a base de practicar una serie de medidas higiénicas:
■ Es necesario lavarse las manos a fondo cuando se haya trabajado con plantas enfermas, de esa forma se evitará contagiar a otra plantas.
■ El trasplante se debe hacer a macetas nuevas o bien limpiar a fondo las viejas, si es posible en el lavavajillas.
■ Es necesario sacar las plantas de la maceta y no apoyarlas en el lugar en que se vayan a replantar. Así el viejo sustrato no tendrá ningún tipo de contacto con el nuevo y esta transferencia estará perfectamente libre de cualquier parásito o agente patógeno.
■ A la hora de cortar tallos y hojas con tijeras o navaja, es imprescindible haber pasado antes los filos por una llama vigorosa.
■ Las partes enfermas y viejas de las plantas se deben eliminar lo antes posible.
■ Las hojas viejas y marchitas deben arrancarse sin más porque

Si el ataque de la cochinilla o la cochinilla algodonosa aún no es muy grave, el empleo de aceite puede ayudar a eliminar la plaga.

así no podrán transferir ningún parásito.

Pulgones y similares

Las orquídeas solo son atacadas por un reducido número de parásitos. Los más comunes son la cochinilla, la cochinilla algodonosa, los pulgones y la araña roja. Con la ayuda de una tabla de diagnóstico (ver páginas 72 a 75) se podrán reconocer con facilidad. Únicamente puede haber alguna confusión en el caso de los trips y la araña roja: ambos provocan manchas plateadas sobre las hojas. Los trips se reconocen porque vuelan y la araña roja no lo hace. La precisión en diferenciarlos resulta muy importante ya que lo trips son insectos y, por el contrario, las arañas rojas pertenecen a los arácnidos. Los dos parásitos deben ser objeto de distinto tratamiento.
▪ Una ayuda para localizar a los parásitos son las placas amarillas o azules. Los animales se quedan pegados a la superficie pegajosa de estas placas y de esa forma es muy sencillo identificarlos para después aplicar los métodos más adecuados.

Primeros auxilios

▪ Si las orquídeas se controlan de forma regular, el ataque de las crías de la cochinilla algodonosa o la cochinilla se podrá reconocer en su estadio inicial. Si el número de parásitos es reducido bastará con un bastoncillo de algodón de los utilizados en los oídos para colocar una gota de aceite de cocina sobre cada insecto. El aceite bloquea los órganos respiratorios del parásito y le provoca la muerte. Si las plantas están muy invadidas, el método no compensa, debido al elevado despliegue de tiempo y, además, la planta también podría resultar afectada si se le cubren todas las hojas con una capa de aceite. Si el ataque es muy intenso lo mejor es tratar a la planta con un remedio confeccionado a base de aceite de parafina o preparar en casa una solución de jabón verde (ver página 70).

▪ Nunca se deben frotar los escudos que suponen las manchas marrones características del ataque de la cochinilla o la cochinilla algodonosa, pues los huevos y las crías viven debajo de esos escudos y el paño sólo servirá para extender los parásitos por las hojas.
▪ También se puede intentar limpiar bajo el chorro de agua una orquídea atacada de pulgones. De todas formas así nunca se eliminarán por completo los parásitos.

Enfermedades causadas por hongos

Las enfermedades producidas por hongos, se reconocen, por ejemplo, por las capas, recubrimientos semejantes al algodón, o bien la planta se marchita en parte o aparecen manchas y pústulas en las hojas. El clima húmedo y cálido en el que se cultivan las orquídeas suele ofrecer, por desgracia, unas condiciones de crecimiento muy adecuadas para los hongos. Las plantas solo se ven atacadas si permanecen húmedas durante mucho tiempo y están sometidas de forma prolongada a una temperatura que para la especie en cuestión es demasiado alta o demasiado baja. Por lo tanto, el cultivo adecuado es la mejor prevención contra el ataque de los hongos: hay que colocar las plantas sueltas y no muy juntas unas con otras para que pueda circular el aire entre ellas. También hay que tener en cuenta que no estén sometidas a corrientes de aire y que las plantas no se encuentren demasiado húmedas.

69

Evitar las enfermedades bacterianas

En los lugares en que las orquídeas prosperan bien también se pueden desarrollar las bacterias que provocan infecciones. Pueden ser transmitidas por partes enfermas de la planta, por la tierra, el agua de riego o las herramientas de trabajo

Es obligatorio utilizar guantes de goma a la hora de manipular elementos destinados a la protección de las plantas.

poco limpias y contaminadas por las bacterias.

Las bacterias atacan sobre todo a plantas ya debilitadas por los parásitos o los hongos y penetran en el tejido de la planta a través de las heridas. El aspecto de los daños en las orquídeas puede ser muy variado. O se empieza a pudrir la base de los brotes o se obturan las vías circulatorias. Al final la planta muere. Otros síntomas son las manchas de color amarillo mortecino semejantes a esponjas que pasan a ser ampollas de grasa y acaban por pudrirse. Las bacterias también pueden provocar en la orquídea proliferaciones similares al cáncer.

Es casi imposible luchar contra la bacteriosis. Pero sí se debe conservar una buena higiene y ocuparse de que existan unas adecuadas condiciones de cultivo. Hay que mantener el sustrato con poca humedad, un buen aporte de aire fresco y evitar la humedad del aire, y los abonos demasiado ricos en nitrógeno. Si a pesar de todos los cuidados y prevenciones las orquídeas resultan infectadas, no queda otra solución que eliminar la planta.

Enfermedades víricas

Los síntomas de una infección vírica en las orquídeas son las líneas y manchas sobre las hojas y las flores. En el caso de una infección leve se constata enseguida que las plantas además de decolorarse, crecen mal, producen pocas flores y acaban por deformarse.

Ya que no se puede luchar contra los virus, se deben observar medidas de prevención:

■ Puesto que los virus se propagan en muchas ocasiones a través de insectos masticadores y succionadores, como pueden ser

los pulgones, es necesario realizar un control regular sobre tales parásitos y prevenir la virosis.

■ A la hora de eliminar racimos de flores viejas solo se utilizarán tijeras o navajas previamente desinfectadas. Así se evita que una infección vírica aún no descubierta pueda ser transmitida por la vía de las herramientas utilizadas.

Los remedios de protección para las plantas nos ofrecen su ayuda

Si las orquídeas han sido atacadas gravemente por parásitos o agentes patógenos habrá que recurrir al empleo de remedios protectores para plantas. Hoy en día el comercio especializado ofrece gran cantidad de preparados. Estos productos están compuestos por muy diferentes sustancias y sus formas de actuar son variadas. Por tanto, lo primero que se debe hacer es elaborar el diagnóstico correcto y después dejarse aconsejar por el personal del comercio especializado sobre la naturaleza del remedio adecuado. Lo más

---

Información

RECETAS CASERAS CONTRA LOS PARÁSITOS

La pulverización con una solución de jabón natural o jabón de Castilla sirve contra muchos parásitos:

■ **Contra pulgones:** 15–30 gramos de jabón natural disuelto en 1 litro de agua.

■ **Contra la araña roja, la cochinilla y la cochinilla algodonosa:** 20 gramos de jabón natural diluido en 100 ml de agua caliente, añadir a 1 litro de agua y 30 ml de alcohol de quemar.

■ Contra trips: 10-30 gramos de jabón natural, 50 ml de alcohol de quemar, una cucharadita de cal, una cucharadita de sal. Diluir todo en 1 litro de agua.

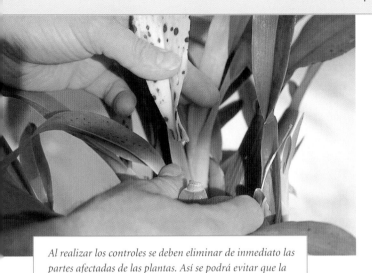

Al realizar los controles se deben eliminar de inmediato las partes afectadas de las plantas. Así se podrá evitar que la enfermedad se extienda al resto de las orquídeas.

recomendable son los pulverizadores, pues en ellos ya viene todo pesado y medido.

■ Los aerosoles preparados se pueden utilizar en cualquier momento. Sin embargo el gas propelente es muy frío, por lo que al rociar la planta se dejará al menos una distancia de 20 cm entre el aerosol y las hojas a fin de evitar que resulten afectadas por él. La mayoría de estos productos están fabricados a partir de una base oleosa, por lo que si se pulveriza toda la planta las hojas no podrían respirar y morirían.

■ Son muy recomendables las varillas que contienen productos antiparasitarios. Se colocan en el sustrato, alrededor de la planta, de acuerdo con las instrucciones de dosificación del fabricante.

■ En todos los casos se hace necesaria una segunda aplicación, pues las sustancias activas de los preparados solo suelen afectar a los parásitos ya desarrollados, y no atacan a huevos, larvas o esporas. Como las orquídeas se cultivan la mayoría de las veces a temperaturas bastante elevadas, ese ambiente

también favorece la rápida multiplicación de los parásitos. Hay, pues, que repetir la aplicación del producto unos siete días después para atacar a los descendientes de los primeros parásitos.

■ Un problema que plantean los medios químicos es la posibilidad de que aparezcan cepas de agentes patógenos resistentes al producto y que, en consecuencia, el remedio deje de ser efectivo. Por eso, en el caso de una grave infección que exija un uso prolongado de las sustancias en cuestión, es muy recomendable cambiar de producto. Sin embargo, se debe tener en cuenta que dos remedios con distinto nombre y fabricados por dos firmas diferentes pueden contener las mismas sustancias activas. En todo caso la composición debe figurar escrita en la envoltura y resulta muy sencillo hacer la comparación.

■ Antes de administrar cualquier producto se deben leer con atención las instrucciones de uso y seguirlas con todo cuidado. Todas las aplicaciones se realizarán bajo la

protección de guantes y al aire libre para que el viento las aleje de la persona que hace el tratamiento. Después del tratamiento la planta puede volver a su posición habitual en la repisa de la ventana.

Protección biológica para las plantas: fauna útil

Para mantener el equilibrio de la Naturaleza, los animales útiles tienen la misión de mantener a raya a los parásitos. Como tal protección para las plantas no suelen entrar en las habitaciones, invernaderos o jardines de invierno, los parásitos pueden propagarse en esos lugares de forma más sencilla que si tuvieran que hacerlo al aire libre. Hoy en día existe una gama enorme de animales útiles que se puede emplear para el ataque directo contra los parásitos. Hay un comercio especializado para encargarlos por correo y recibirlos a domicilio. Luego habrá que ubicarlos de acuerdo con las instrucciones que les acompañan.

■ Las mariquitas y sus larvas devoran a los pulgones.

■ Los ácaros predadores contra la araña roja se colocan sobre las hojas de la planta afectada.

■ Las crisálidas de los icneumónidos vienen colocadas sobre cartulinas pegajosas que se colocan en la tierra. Al cabo de algunos días nacen las avispas que devoran a las moscas blancas.

■ Las larvas de las crisopas gatean por unos contenedores de cartón semejantes a un panal. Tanto las larvas como los animales adultos se comen grandes cantidades de pulgones.

71

Tabla de diagnóstico: Parásitos

COCHINILLA ALGODONOSA

Aspecto de los daños: animales de color blanco y cubiertos de excreciones de aspecto de cera que se mueven con libertad por la parte inferior de las hojas, los bordes y las axilas; revestimiento como de un rocío pegajoso (melaza o melazo), recubrimientos negros («Fumagina o negrilla», ver página 73).
Prevención: abono equilibrado con contenido de cal, controles regulares.
Lucha: gotas de aceite (ver página 69); pulverizar con solución de jabón natural; aislar las plantas afectadas.

COCHINILLA

Aspecto de los daños: animales entre redondos y ovalados del tamaño de una cabeza de alfiler, marrones, con forma de escudo que aparecen en las hojas y en las ramas, exudado de melaza, frecuente presencia de negrilla.
Prevención: abono equilibrado con contenido de cal, controles regulares.
Lucha: infección leve: depositar una gota de aceite sobre cada uno de los parásitos. Infección severa: rociar con un remedio hecho con base de aceite de parafina; aislar las plantas afectadas.

PULGÓN

Aspecto de los daños: pulgones verdes, negros o rojizos de un tamaño de 1 a 4 mm situados en las hojas y tallos. Hay muchas ocasiones en que los tallos jóvenes se retuercen y no progresa su crecimiento.
Prevención: no es posible; controlar, sobre todo en primavera, las plantas que florecen con color rojo.
Lucha: rociar con pulverizadores (de venta en el comercio especializado); si se observa que no sirve de ayuda, cambiar el principio activo y repetir el tratamiento.

MOSCA BLANCA

Aspecto de los daños: insectos voladores y larvas de color amarillo verdoso con aspecto de escudo que provocan manchas amarillentas y verdosas de un tamaño aproximado de 1,5 mm, exudado de melaza.
Prevención: aumentar la humedad del ambiente; practicar un abono equilibrado con contenido de cal.
Lucha: a causa de la diversidad de especies, se deben utilizar varios principios activos en un intervalo de 8 a 10 días.

ARAÑA ROJA

Aspecto de los daños: parte superior de las hojas (haz) de un color blanco amarillento, arañas en la parte inferior de las hojas (envés) con una telilla rojiza o ácaros de un color amarillo verdoso.
Prevención: elevar bastante la humedad del aire, también pulverizar con agua; cultivo y abono adecuados.
Lucha: utilizar insecticidas adquiridos en el comercio especializado; en las clases más delicadas, como las *Dendrobium* o las *Epidendrum*, es muy recomendable hacer operaciones de prevención.

GORGOJOS

Aspecto de los daños: hojas con claras mordeduras profundas y de forma semicircular (escarabajo), raíces y tallos comidos (larvas).
Prevención: son raras las ocasiones en que es posible realizar una prevención.
Lucha: retirar los escarabajos por las noches; utilizar agua de regar a la que se hayan incorporado nemátodos como animales útiles (de venta en el comercio especializado); también se debe tratar, por motivos de seguridad, el resto de las plantas de interior.

Tabla de diagnóstico: Parásitos y micosis

CARACOLES	COCHINILLAS DE HUMEDAD	BOTRITIS

Aspecto de los daños: hojas agujereadas y comidas por completo, ocurre lo mismo con los tallos y toda la planta, incluso en los racimos y las yemas; huellas mucosas.
Prevención: colgar las macetas en los jardines de verano, no dejar sobre el suelo; controlar el resto de plantas de interior; aislar los invernaderos y las galerías de invierno.
Lucha: retirada periódica de los animales, colocar pasta y gránulos antilimaco.

Aspecto de los daños: mordeduras en la base de las varas, también en las raíces de las plantas jóvenes; no hay huellas mucosas; sustrato descompuesto.
Prevención: colgar las macetas en los jardines de verano, no se deben dejar sobre el suelo; controlar el resto de las plantas de interior; proceder a aislar los invernaderos y los jardines de invierno.
Lucha: retirada periódica de los animales, colocar pasta y gránulos antilimaco.

Aspecto de los daños: zonas marrones, provocadas por el hongo, tanto en hojas como en flores y varas tiernas, capa de moho de color blanco grisáceo.
Prevención: no pulverizar agua sobre las flores, se deben dejar secar las plantas en caso de que las noches sean frías, y en tal caso habrá que aumentar la calefacción nocturna.
Lucha: mantenerlas muy secas; en caso de ataque severo de micosis usar un fungicida.

MANCHAS FOLIARES	PODREDUMBRE DE LAS RAÍCES	FUMAGINA O NEGRILLA
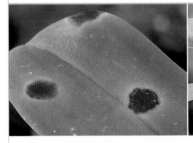		

Aspecto de los daños: decoloración de parte de las hojas por efecto del hongo; solo ocurre en contadas ocasiones, normalmente es poco vistoso pero a veces puede acarrear la muerte de la planta.
Prevención: seleccionar la temperatura adecuada; procurar que haya suficiente aire fresco; en cultivos en vitrina o invernadero hacer que descienda durante unas horas la humedad ambiental.
Lucha: el cultivo se hará con escasa humedad del aire; los fungicidas no suelen dar resultados.

Aspecto de los daños: la mayoría de las veces solo surge en plantas débiles; zonas podridas en hojas, varas, raíces y puntos de inserción, después se forman costras. Únicamente se da en raras ocasiones.
Prevención: causa más frecuente: sustrato viejo o demasiado húmedo; trasplantar de forma regular.
Lucha: trasplantar de inmediato, limpiar muy bien a la planta; quitar partes afectadas.

Aspecto de los daños: recubrimiento negro del envés de las hojas; vive sobre los exudados pegajosos y dulces que dejan los pulgones; la cochinilla algodonosa y la cochinilla.
Prevención: evitar la invasión de pulgones.
Lucha: luchar contra los pulgones y similares, ya que la fumagina sólo puede aparecer en simbiosis con ellos; el recubrimiento negro se puede quitar con facilidad de las hojas.

Tabla de diagnóstico: Errores de cultivo...

DAÑOS CAUSADOS POR LOS INSECTICIDAS	DAÑOS CAUSADOS POR LOS AEROSOLES	FALTA DE LUZ

Aspecto de los daños: flores u hojas deformes, se les modifican los colores o se quedan como si estuvieran encasquilladas, es decir, no se forman las varas o las que nacen resultan muy cortas.
Prevención: probar el insecticida en una planta; se puede preguntar en asociaciones de aficionados a orquídeas por las experiencias conseguidas con cada producto, seguir las instrucciones para hacer un uso correcto del pulverizador.
Lucha: solo a base de prevención.

Aspecto de los daños: las flores adquieren un tono marrón y se secan; en las hojas aparecen feas manchas.
Prevención: nunca se deben colocar muy cerca de la planta los aerosoles utilizados para abrillantar las hojas o aplicar insecticidas, han de estar al menos a unos 20 cm de distancia; nunca se pulverizará sobre las flores, pues quedarán poco vistosas y cambiarán de color.
Lucha: solo a base de prevención.

Aspecto de los daños: hojas largas, estrechas y orientadas hacia un lado, varas con excesivo crecimiento.
Prevención: revisar la ubicación de la planta, cuidar de que haya suficiente luz, vigilar la existencia de árboles; balcones o marcos de ventana que puedan provocar demasiada sombra.
Lucha: colocar la planta en una zona iluminada pero no sometida a la acción directa del sol.

MANCHAS POR QUEMADURAS	HOJAS EN FORMA DE ACORDEÓN	FALTA DE AGUA

Aspecto de los daños: en las hojas aparecen zonas secas, entre redondas y ovaladas, de color marrón.
Prevención: cambiar de sitio las plantas o colocarlas a la sombra, protegerlas del sol directo, sobre todo en verano; las quemaduras aparecen a menudo por gotas de agua que hacen un efecto de lupa sobre las hojas. Por eso no se deben mojar las hojas al regar.
Lucha: no existen métodos de lucha contra este fallo.

Aspecto de los daños: las hojas se arrugan como si fueran un acordeón; puede ser consecuencia de un exceso de calor o riego muy abundante o irregular; este defecto también puede aparecer si la forma de cultivo es adecuada pero escasa.
Prevención: buena humedad del aire, regar con periodicidad, no dejar secar por completo (excepto en la fase de reposo); comprobar la temperatura de la zona en la que está la planta.
Lucha: no existen métodos de lucha contra este fallo.

Aspecto de los daños: las hojas se vuelven fláccidas y las raíces mueren.
Prevención: cambiar de maceta con periodicidad; no mantener en constante humedad, pero tampoco dejar que se seque; evitar la humedad por estancamiento, pues las raíces morirán.
Lucha: cambiar de maceta; eliminar las raíces muertas; pulverizar varias veces al día; sustrato moderadamente húmedo pero mucha humedad ambiental.

... Bacteriosis y virosis

CARENCIA DE NITRÓGENO

Aspecto de los daños: coloración entre gris clara y amarilla en las hojas superiores, pocas flores y pequeñas; mal crecimiento.
Prevención: utilizar un abono de buena calidad y equilibrado; cambio periódico de maceta, usar un buen sustrato especial para orquídeas.
Lucha: cambio de maceta para renovar el sustrato; utilizar abono con elevado contenido de nitrógeno, no servirse nunca de agua destilada para preparar el abono.

CARENCIA DE FÓSFORO

Aspecto de los daños: la cara inferior de las hojas adquiere una coloración que va del rojo normal a un intenso rojo oscuro; mal crecimiento de las raíces.
Prevención: utilizar abono equilibrado, cambiar con periodicidad de maceta y usar un buen sustrato.
Lucha: cambiar de maceta para renovar al sustrato; utilizar abono con elevado contenido de fósforo, no servirse de agua destilada.

EXCESO DE COBRE

Aspecto de los daños: finales de las hojas de color marrón y con costra, corazón negro en parte, la planta crece mal o ni siquiera lo hace.
Prevención: comprobar la procedencia del agua de riego (canalones de lluvia, cubo), hacerla analizar en un laboratorio; el exceso de cobre no puede estar causado por los abonos.
Lucha: cultivar con agua adecuada; si los daños son graves hay que deshacerse de la planta.

CARENCIA / EXCESO DE HIERRO

Aspecto de los daños: manchas de color verde claro en las axilas de las hojas; crecimiento deficiente o nulo.
Prevención: utilizar siempre abonos con contenido de hierro; si se utiliza agua de pozo, antes se debe hacer analizar por un laboratorio.
Lucha: en caso de exceso, cambiar el agua; en caso de carencia medir el valor pH del agua, si está por encima de 6,5, utilizar abono rico en hierro (ver página 49).

VIRUS MOSAICO

Aspecto de los daños: manchas redondas con dibujos circulares y modificación del color de las flores, los pétalos presentan muescas o se deforman.
Prevención: preocuparse por llevar a cabo un buen cultivo; esterilizar las macetas, navajas y tijeras y desinfectar las manos.
Lucha: no es posible; aislar de inmediato a la planta y si no se recupera habrá que deshacerse de ella.

AMPOLLAS DE GRASA DE PROCEDENCIA BACTERIANA

Aspecto de los daños: zonas marrones de aspecto vidrioso sobre las hojas; se hacen cada vez más extensas y la planta se marchita; afecta sobre todo a la *Phalaenopsis* en épocas de noches demasiado frías y/o si la planta tiene humedad nocturna.
Prevención: abonar bien; no permitir que baje demasiado la temperatura mínima durante la noche.
Lucha: en el caso de infección, pinchar las ampollas con un palillo para que se sequen.

> PREGUNTAS Y RESPUESTAS

Consejos expertos acerca de la salud de las plantas

Incluso con los mejores cuidados puede suceder que se expandan parásitos y enfermedades. Se pueden contagiar, por ejemplo, a través de una planta de nueva adquisición. Pero también los errores de cultivo pueden debilitar a las plantas. Para la mayoría de los problemas existen consejos y ayudas.

? ¿Cómo puedo estar seguro de que mis orquídeas van a estar bien mientras yo me voy de vacaciones?

Lo mejor es pedirle a un vecino, a un familiar o a un amigo que se encargue de cuidarlas. Sería muy recomendable que, además, esa persona fuera aficionada a las orquídeas. Para que la atención que se preste a las plantas se corresponda con las costumbres habituales de las orquídeas, lo menor es dejar unas instrucciones muy precisas.

En último término, tales cuidados dependen mucho de lo que vayan a durar las vacaciones. Si la ausencia va a ser de unos 14 días, se pueden dejar las plantas bien regadas y adentrarlas algo en la habitación para que queden como a un metro de la ventana. Así no se quemarán por efecto del sol ni se secarán por completo. Si las vacaciones van a superar las dos semanas, en un cuarto de baño que tenga ventana se puede poner un poco de agua en la bañera y sobre el agua una rejilla

que soporte encima la planta recién regada. Allí no tendrá mucho calor y el agua que se evapora proporcionará a la orquídea la humedad que necesita. Podrá aguantar tres o cuatro semanas sin secarse ni estar regada en exceso. Quizá pierda un par de yemas o flores, pero volverá a rebrotar. Si la ausencia va a ser superior a las 4 semanas es imprescindible pedir ayuda. La persona que se encargue del cuidado de las plantas deberá recibir las indicaciones necesarias.

? Mis orquídeas han perdido las yemas. ¿Están enfermas o he hecho algo mal?

Pueden ser varios los motivos. El más común se corresponde con las épocas del año de menor luminosidad. Por desgracia, muchas orquídeas florecen con total frondosidad en invierno, las noches son más frías y ese fuerte descenso de las temperaturas estimula la floración. De todas formas, la

escasez de luz en tales épocas impide que las plantas consigan sacar adelante todas sus yemas. Algunas de ellas amarillearán y luego se secarán y caerán del tallo. Pero si es muy abundante la caída de las yemas, la causa puede ser otra. Por ejemplo, las manzanas emiten una hormona de maduración en forma de gas, el etileno, que afecta a las yemas y hace que se caigan. Por eso, lo mejor es no colocar cáscaras de frutas, por ejemplo, de manzanas, en los alrededores de la orquídea. Este gas incluso puede llegar desde una habitación contigua a la de la planta y dañarla.

? Mis orquídeas han sido atacadas por parásitos. Quiero intentar tratarlas a base de fauna útil. ¿Qué tengo que tener en cuenta?

Para que los animales útiles funcionen, hay que tener en cuenta las siguientes condiciones básicas: los animales útiles solo pueden cumplir su misión si la habitación en la que van a estar dispone de una temperatura adecuada a sus exigencias climáticas, es decir, de unos valores medios por encima de los 16 °C. Por suerte, en el caso de los cultivos de orquídeas suele suceder así.

El empleo de animales útiles únicamente tiene éxito si se les coloca a tiempo, es decir, tan pronto como se reconoce la existencia de los primeros parásitos, y para eso lo mejor es recurrir a las denominadas tablillas azules o amarillas, que también se fabrican en formatos pequeños adecuados para su uso en las habitaciones. Se colocan de tal forma que no molesten a las plantas (véase la figura de la página 68). Las tablas azules y amarillas atraen a los parásitos, que se quedan pegados sobre su superficie. Gracias a eso podemos encargar el animal útil más adecuado. Las tablillas se pueden dejar colgadas mientras utilizamos a los animales útiles. Si las plantas están colocadas en un jardín de invierno o un invernadero, hay que vigilar para que no crezcan malas hierbas que los parásitos podrían utilizar como refugio. Además hay que tomarse tiempo para hacer controles periódicos de la infección. Si se quiere combinar el uso de animales útiles y un tratamiento de preparados químicos, es inexcusable retirar la fauna útil antes de utilizar los productos químicos. En los envases donde hayan llegado los animales deben figurar las instrucciones pertinentes.

? **En la parte inferior de las hojas de mis orquídeas he descubierto unas gotas pegajosas. ¿Cuáles pueden ser las causas?**

Estas gotas pegajosas son productos excretados por pulgones, cochinillas, cochinillas algodonosas y arañas rojas. Estas secreciones también son conocidas como «melazo» o «melaza». Los pulgones absorben el azúcar de la planta y eliminan la cantidad que no necesitan. El melazo en sí no es dañino para las orquídeas, lo que causa daño a las plantas es la absorción de jugos por parte de los pulgones. Además, se pueden quitar con mucha facilidad los hongos del moho negro que se forman sobre esa melaza. No son dañinos, pero su aspecto resulta bastante desagradable (ver página 73).

También puede ser que las orquídeas no hayan sido atacadas por pulgones, sino que ellas mismas hayan excretado unas gotas azucaradas. Esto ocurre si las temperaturas del día y de la noche presentan diferencias extremas o bien casi nulas, como ocurre en habitaciones con calefacción radiante en los suelos, que no experimentan descensos nocturnos de temperatura. Eso hace que las orquídeas se vean afectadas de una especie de estrés por el que eliminan gotas de azúcar sobre las que colonizan los hongos del moho negro. Es imprescindible preocuparse de variar el descenso nocturno de las temperaturas procurando que suba o baje hasta límites aceptables para las plantas.

? **He tratado en varias ocasiones a mis orquídeas contra la cochinilla y la cochinilla algodonosa pero, a pesar de todo, vuelven a aparecer. ¿A qué se debe?**

Puede haber distintas causas. La araña roja o la cochinilla algodonosa,

por ejemplo, pueden venir desde el exterior, desde las plantas de jardín de la casa o de la veranda, y luego proliferar. También, por supuesto, puede ocurrir que otras orquídeas o plantas de interior que se encuentren en la misma habitación estén infectadas y sean la causa de esta invasión permanente.

La araña roja y la cochinilla algodonosa pueden aparecer si en el sustrato de las plantas afectadas o en el borde del macetero se ocultan pulgones que, a su vez, se refugian en partes de plantas viejas o muertas. Por eso resulta imprescindible proceder de forma periódica a la revisión de la planta para eliminar todas las partes que estén muertas o secas y puedan servir de guarida a cualquier animal. Es recomendable prestar especial atención a las axilas de las hojas y a los tallos florales.

? **¿Merece la pena usar algún reconstituyente de plantas?**

El efecto de estos remedios es bastante limitado y resultan innecesarios si la planta está bien cuidada y presenta un aspecto saludable. Por lo general las orquídeas solo necesitan un abono completo y con periodicidad uno calizo. Algunos cultivadores han experimentado que estos medios pueden, por ejemplo, influir de forma positiva en el pH del sustrato para que admita los oligoelementos y que de esa forma la planta crezca mejor.

En el mercado existen muchas variantes de tales preparados y cada uno puede hacer las pruebas pertinentes. En todo caso no van a ser dañinos para las plantas.

¿Qué hacer cuando...

... una orquídea recién comprada pierde todas sus yemas y flores?

Causas:

Las orquídeas no soportan fuertes oscilaciones de temperatura ni corrientes de aire.

Medidas a tomar:

Son muy pocas las situaciones meteorológicas en las que no sea importante la forma de empaquetar una orquídea con sus flores a fin de llevarlas a casa. Por lo general se mete la planta en una bolsa de plástico que esté abierta por arriba. La mayoría de las veces sobresalen de ella los racimos o incluso las flores. Luego es posible que se produzca la caída de yemas y flores o

incluso que muera la planta. Si no está muy dañada, podrá volver a rebrotar y echar nuevas yemas.
› Es necesario ocuparse de que la orquídea recién comprada esté envuelta en papel o en una lámina de plástico bien cerrada alrededor de la planta. Para procurar que la planta reciba aire fresco, estas láminas hay que retirarlas en cuanto la orquídea haya llegado a su destino.
› Si la planta se ha envuelto en papel, podrá permanecer un día dentro de esa envoltura que, en todo caso, se debe abrir por arriba para que reciba aire y luz.

› Las orquídeas que hayan sido remitidas por correo deben ser revisadas de modo inmediato y, si se observara que la envoltura está dañada, lo mejor es abrirla delante del cartero. Si la orquídea muestra daños se deberá devolver al vendedor.

... se forman manchas de cal sobre las hojas?

Posibles causas:

Las manchas de cal en las hojas o las flores pueden estar causadas porque

al regar se haya usado agua corriente con un elevado contenido de cal. Estas manchas pueden provocar, incluso, que la planta no sea capaz de realizar la fotosíntesis de un modo conveniente.

Medidas a tomar:

› Es necesario disponer de agua de riego pobre en cal, para lo que se deberá depurar el agua de grifo. Se puede reducir la cal con un filtro o bien tan solo a base de hervir el agua (ver páginas 50 y 51).
› En caso de que exista la posibilidad de almacenar agua de lluvia, se usará

para el riego: está libre de cal y, en consecuencia, no originará esas desagradables manchas.
› Las manchas se pueden eliminar a base de rociar las hojas con un aerosol abrillantador y luego limpiarlas. Este aerosol no se debe aplicar a la planta desde muy cerca porque el frío del gas propulsor puede dañarla. Hay que mantener una distancia de unos 20 ó 30 cm. Lo más adecuado sería rociar un paño de lana con el aerosol y luego usarlo con mucho cuidado para limpiar las hojas. Si no se dispone de un aerosol abrillantador, se puede utilizar cerveza.

... mi orquídea tiene las hojas flácidas?

Causas:

1. Si el sustrato es de mala calidad, está concentrado o se ha descompuesto, las raíces quedan húmedas durante mucho tiempo aunque el riego haya sido normal. No pueden respirar, se secan y mueren. La planta no puede recibir bastante agua a pesar de que se le riegue con abundancia: las hojas aparecen flácidas.
› Es necesario trasplantar la orquídea tan rápido como sea posible a un buen sustrato, fresco y permeable. Si no están dañadas todas las raíces se podrá recuperar. Las raíces sanas se muestran firmes y tienen carnosas las puntas (véase la foto de la página 13). Las raíces podridas o secas, por el contrario, son de un color marrón y están flácidas.

2. Si el agua de riego tiene mezclado demasiado abono, las raíces puede morir por un exceso de sal. Es fácil reconocerlo puesto que en las puntas de las raíces ya no son verdes. Pero también puede ocurrir que en el agua de regar haya demasiadas sales procedentes, por ejemplo, de la de grifo. Las raíces resultan afectadas y las hojas ya no pueden recibir suficiente alimento.
› También en este caso la única ayuda se basa en pasar la planta a un sustrato fresco. Habrá que eliminar las partes de las raíces que aparezcan enfermas o muertas.

3. Las orquídeas están muy poco regadas o, por el contrario, en exceso. Si después del riego el sustrato no se puede secar, las raíces se pudrirán. En caso de que se les aporte poca agua y el sustrato se seque demasiado antes de recibir el siguiente riego, las raíces ya no serán capaces de admitir más agua porque parte de ellas se habrá secado o estará ya muerta.
› En el caso de que la planta aún mantenga algunas raíces sanas, se puede intentar su salvación a base de cambiar la maceta. Si todas las raíces están afectadas, habrá que deshacerse de la planta.

4. La orquídea, en relación con el tamaño de la planta, tiene una maceta pequeña. Las raíces no se pueden desarrollar bien, el cepellón resulta demasiado pequeño y no sirve para abastecer a la totalidad de la planta.
› Hay que sacar la planta de la maceta y colocarla en una nueva que tenga el tamaño adecuado. Entre el cepellón y el borde de la maceta debe haber, al menos, una distancia de dos dedos (ver páginas 38 y 39).

... una yema no se puede abrir?

Causas:

Si no puede hacerlo la planta por sí misma, habrá que ayudarla a abrir la vaina de las flores.

Medida a tomar:

› Presionar la vaina con los dedos por su parte longitudinal hasta que se hinche y estallen las suturas. Ahora se pueden separar hacia abajo ambas partes de la cobertura; hay que hacerlo con mucha precaución para evitar que la yema se rompa.
› También se puede abrir la punta de la vaina con ayuda de unas tijeras y luego abrirla un poco más a base de apretarla. A la hora de separar las hojas se puede recurrir a una navaja. Luego las hojas de las vainas se podrán cortar con una tijera.
› Habrá que ayudar a la planta si las vainas ya se han formado del todo pero las yemas aún no han conseguido despuntar y no pueden romper las vainas con facilidad.
› En ocasiones por debajo de la vaina de flores existe una segunda cáscara. También habrá que cortarla. Algunas clases de *Cattleya* tienen, por su propia naturaleza, unas hojas secas que les sirven de envoltura.

3

Galería

Los grupos más importantes de orquídeas

El nombre correcto de un híbrido de orquídea nos indica quiénes son sus padres, a qué grupo pertenece y cuáles son sus necesidades y exigencias de mantenimiento.

El primer híbrido formado a partir de una polinización artificial fue un cruce de *Calanthe furcata* y una *Calanthe masuca*. La posibilidad de reproducir de esa forma las orquídeas fue desarrollada en el año 1856 por el médico inglés John Harris. Luego las orquídeas fueron criadas por John Dominy, el jardinero mayor de la firma inglesa Veitch & Sons, especializada en orquídeas, quien cultivó a los descendientes de esas orquídeas y las bautizó con el nombre de *Calanthe Dominii*. Con ello se abrieron de par en par las puertas para el cultivo de híbridos: siguieron cruces entre *Calanthe* y *Cattleya* hasta que, a día de hoy, se han conseguido más de 100.000 híbridos.

Esta increíble variedad es posible debido a una particularidad única de las orquídeas: mientras que en otras plantas nunca se pueden cruzar entre sí dos especies ni dos géneros distintos, esto sí es posible sin ningún problema con las orquídeas. El motivo es que desde el punto de vista de su desarrollo, las familias de las orquídeas son aún muy jóvenes y no existe entre ellas la misma distinción genética que se da en otras familias de plantas, es decir, la información hereditaria de las especies y los géneros se diferencian muy poco. Por eso todas las variedades de un género también se pueden cruzar con otras de distintos géneros. El resultado son unos híbridos que reúnen en sí las características de las plantas progenitoras. En el caso más sencillo, a partir de dos clases se crea un nuevo híbrido, que es denominado híbrido primario. Estos híbridos también aparecen en la Naturaleza, y entonces se llaman híbridos naturales. Si se cruzan distintos géneros se forman híbridos de género, cuyo nombre se genera a partir de la denominación de los géneros progenitores. Así el cruce de los géneros *Odontoglossum* y *Miltoniopsis* da como resultado el nuevo género *Odontonia*. Este género artificial se puede a su vez cruzar con otro género. Las orquídeas más apreciadas hoy en día provienen de nueve géneros distintos.

¿Quiénes son los antepasados?

Para los amantes de las orquídeas esta diversidad presenta dos facetas: por un lado, los obtentores y los viveros de orquídeas ofrecen un constante cambio de nuevos híbridos muy apetecibles. Por otro lado cada vez es más complicado conocer las condiciones de cuidado para las nuevas creaciones, pues un profano no siempre es capaz de acertar a la primera con el grupo natural. El que conozca los padres de que proviene un híbrido de orquídea se puede informar de inmediato sobre sus necesidades en cuanto a cultivo, luz y temperatura, pues las de las plantas progenitoras se pueden aplicar a las hijas. Esta circunstancia es la que se aprovecha en este apartado del libro.

■ Se presentarán tan solo formas naturales ordenadas de acuerdo con sus grados de parentesco. Así, por ejemplo, a partir de un género podremos encontrar varios

A partir de la *Odontoglossum* y la *Miltoniopsis* (antes denominada *Miltonia*) se ha formado el género artificial *Odontonia*.

subgéneros o secciones (ver página 15) en las que estarán englobadas especies con parentesco cercano y necesidades parecidas.

■ Dos ejemplos: bajo el apartado «*Phalaenopsis* y géneros próximos» se presentarán distintas secciones de *Phalaenopsis*, pero también un género emparentado con ellas, la *Doritis*. Bajo la rúbrica «*Oncidium* y géneros próximos», junto al género *Oncidium* también se presentarán otros como la *Brassia* o la *Odontoglossum*, cuyas exigencias y cultivo se asemejan mucho a las de la *Oncidium*.

■ Junto a los datos sobre la floración y el crecimiento, así como el lugar de colocación y las formas de cultivo, al final de cada ficha se listan las clases conocidas e informaciones sobre híbridos. En la ilustración también aparecerá un típico representante de cada género, subgénero o sección.

Importante: el nombre exacto

Si es necesario que para cada nuevo híbrido se busque la información pertinente sobre su cultivo, aún resulta más importante conocer su nombre exacto, pues esa denominación permitirá determinar la genealogía de procedencia de la planta. Así, la *Odontonia* procede de la *Odontoglossum* y la *Miltoniopsis* (antes denominada *Miltonia*), y sus necesidades son muy parecidas a las de éstas. Se puede encontrar información de este caso particular sobre los géneros *Odontoglossum* y *Miltoniopsis* en el capítulo «*Oncidium* y géneros próximos».

Los híbridos de orquídeas más actuales se encuentran en las tablas de las páginas 118 y 119. Allí están indicados los géneros de los padres del cruce.

■ Si un híbrido de orquídea no viene reflejado en esta lista, podrá servir de gran ayuda la consulta a la página web de la Royal Horticultural Society (RHS). Allí se encuentran casi todos los nombres de híbridos existentes en el mercado y los padres de procedencia (ver páginas 118 y 119). Sin embargo, resulta más complicado si el híbrido lleva el nombre de un comerciante (ver página 15). Entonces el contacto directo con el obtentor nos permitirá averiguar la procedencia de la orquídea en cuestión.

Las orquídeas de forma de zapatito de dama, de grandes flores, son auténticas piezas de joyería. Han sido creadas a partir del subgénero Paphiopedilum.

Cattleya y géneros próximos

Con sus típicas flores de gran tamaño, las *Cattleyas* y sus parientes se han convertido en la esencia de las orquídeas. Hoy en día se pueden asociar hasta nueve especies a un cruce.

El género *Cattleya* está compuesto por unas 60 clases y recibe su nombre de William Cattley, jardinero y coleccionista inglés de plantas. La orquídea llegó a Europa por un camino muy curioso: William Cattley recibió en el año 1823 un envío de ejemplares de plantas procedente de Brasil. Iban metidas dentro de una caja y para aislarlas las habían acolchado entre bulbos de *Cattleya*, que aún era desconocida en Europa. El curioso Mr. Cattley plantó aquellos bulbos, que florecieron al cabo de medio año.

El botánico John Lindley, que por aquel entonces colaboraba con Cattley, describió la planta y, en su honor, la denominó con el nombre de *Cattleya labiata* (*labium* = labelo).

En el siglo XIX las grandes orquídeas *Cattleya* eran muy apreciadas. Los nobles ingleses se ufanaban de llevar en la solapa las grandes flores tropicales.

Hoy en día se han cruzado diversas clases de *Cattleya* o bien *Cattleya* con otros géneros para conseguir la minicattleya.

La *Cattleya* florece solo de cuatro a ocho semanas, pero sus enormes flores las hacen muy estimadas: las hay de muchos colores como, por ejemplo, en amarillo, rosa y blanco, así como en atractivas combinaciones cromáticas (blanco y rojo o verde y amarillo). Al contrario a lo que ocurre con sus predecesores, las flores se mantienen durante mucho tiempo y las plantas son de menor crecimiento, circunstancia muy interesante para los pisos actuales de tamaño bastante reducido.

Un parentesco muy cercano es el género de *Laelia*, que engloba a unas 60 clases. Se diferencia de la *Cattleya*, entre otras cosas, por poseer ocho paquetes de polen (polinios) en lugar de cuatro. El género más importante de la familia de la *Cattleya* es, en cuanto a su reproducción en tamaño pequeño, la *Sophronitis*.

Por medio del cruce de esta clase se han producido muchas plantas de escaso crecimiento que, a pesar de eso, brillan con sus flores bastante grandes y casi siempre de color rojo. Los híbridos se reconocen por unas hojas algo retorcidas y una franja negra en el centro de la hoja. Lo general en cuanto a la mayoría de los híbridos de *Cattleya* es que se pueden cultivar a una temperatura que esté en el intervalo de suave a cálida y no necesitan de una marcada fase de descanso, les basta con una ligera.

Los híbridos Cattleya *hoy en día son relativamente pequeños, muy alegres en cuanto a color y se mantienen más tiempo que antes.*

☀ sol   ☀ sol y sombra   ● sombra   🌡 cálido   🌡 suave-cálido

Unifoliada
(Unifoliata)

Bifoliada
(Bifoliata)

Encyclia
(sin.: Epidendrum)

ALTURA: 30-60 cm
ANCHO: 30-50 cm
TIEMPO DE FLORACIÓN: finales de invierno a finales de primavera, en raras ocasiones también de principios de otoño a finales de otoño.

grandes flores que suelen ser olorosas

Procedencia: Sudamérica.
Flores: muy grandes, llamativas y delicadas, un labelo orientado hacia arriba con color y forma; flores terminales; florece cada seis semanas, poco más o menos.
Crecimiento: epifito, planta frondosa; bulbos largos y delgados; la mayoría de las veces solo una hoja, en raras ocasiones dos hojas muy firmes, coriáceas y colocadas al final; grandes plantas con muchos brotes nuevos que florecen todos a la vez.
Cultivo: soleado; por el día por encima de los 18 a 20 ºC, por las noches de 14 a 16 ºC; cultivo en maceta: las grandes plantas precisan de un buen drenaje; cultivo en cesta o en bloque: es importante una elevada humedad del aire; no tiene una marcada fase de descanso, en invierno riego reducido pero aún así regular; cortar los racimos una vez que las flores se marchiten; posibilidad de emplazamiento de verano.
Variedades: *Cattleya dowiana*: amarilla/roja, *C. labiata*: rosa/roja, *C. luteola* (véase ilustración): amarilla, *C. maxima*: rosa, *C. mossiae*: rosa/roja, *C. warneri*: rosa/roja.
Híbridos: en lugar de especies grandes, hoy en día se cultivan sobre todo híbridos muy coloridos y de crecimiento reducido.

ALTURA: 15-100 cm
ANCHO: 20-40 cm
TIEMPO DE FLORACIÓN: finales de verano a finales de invierno.

colorido brillante y de gran crecimiento

Procedencia: Sudamérica.
Flores: de alegres colores, la mayoría de las veces tres a seis flores terminales; céreas; florecen durante más tiempo que las unifoliares.
Crecimiento: epifito, la mayoría de las veces bulbos muy altos y delgados con dos o tres hojas coriáceas laterales; grandes plantas con muchos brotes nuevos que florecen todos a la vez.
Cultivo: como el de las unifoliares (véase la ficha anterior), pero con ligeras fases de reposo con temperaturas algo más bajas y menos agua.
Variedades: *Cattleya aclandiae*: con puntos amarillos y marrones, labelo rosa, *C. bicolor*: verdosa o marrón, labelo rojo, *C. forbessi*: verdosa o marrón, labelo blanco, *C. harrisoniana*: roja o rosada, *C. intermedia*: rosa, labelos rojos, *C. alkeriana* (véase ilustración): roja rosada, la mini se encuentra entre las bifoliatas.
Híbridos: las clases de poco crecimiento, como, por ejemplo, *C. walkeriana*, *C. intermedia*, y *C. aclandiae* se cruzan en muchas ocasiones para reunir la variedad de colores con el escaso crecimiento.

ALTURA: 25-40 cm
ANCHO: 10-30 cm
TIEMPO DE FLORACIÓN: mediados de primavera a principios de otoño.

planta muy frondosa y de floración abundante

Procedencia: Sudamérica.
Flores: variedad muy amplia de formas y colores: en algunos tipos el labelo está orientado hacia arriba.
Crecimiento: epifito; frondosa; bulbos pequeños y firmes, en parte casi redondos; de una a dos hojas firmes, terminales, casi horizontales, en ocasiones un ligero revestimiento gris sobre las hojas.
Cultivo: de claro a soleado; durante el día de 18 a 20 ºC, por las noches de 12 a 16 ºC; posibilidad de cultivo en maceta, cesta o bloque; *Encyclia citrina* con las hojas hacia abajo; en primavera, al comienzo del crecimiento, regar y abonar con intensidad; en los brotes no debe almacenarse el agua; sin una fase marcada de reposo, en invierno no regar menos pero no de forma muy espaciada; cortar los racimos una vez que se hayan marchitado las flores; posibilidad de emplazamiento de verano.
Variedades: *Encyclia cochleata*: verde negruzca, *E. fragans* (ver ilustración): blanca verdosa, *E. lancifolia*: verde negruzca, olorosa, *E. vittelina*: naranja.
Híbridos: normalmente solo dentro del mismo género, muy pocos con *Cattleya*.

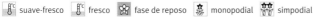

Laelia
Sección Cattleyodes

Laelia
Sección Hadrolaelia

Laelia
Sección Parviflorae

ALTURA: 50-60 cm
ANCHO: 40-60 cm
TIEMPO DE FLORACIÓN: finales de verano a finales de otoño.

extremada variedad cromática

Procedencia: Sudamérica.
Flores: colores muy intensos, extrema variedad cromática incluso dentro de la misma especie, gran labelo, garganta con dibujos, de tres a seis flores en un racimo.
Crecimiento: epifito; plantas grandes con muchos nuevos brotes que florecen todos a la vez.
Cultivo: mucha luz; durante el día de 18 a 20 °C, por las noches de 14 a 16 °C aunque también soportan de 10 a 12 °C; es muy fácil que crezcan y florezcan; cultivo en maceta: grandes plantas en bandejas, buen drenaje; cultivo en cesta y en bloque: debido a su tamaño es complicado y solo se consigue con una elevada humedad ambiental, ya que de lo contrario las grandes plantas no reciben agua suficiente; sin marcada fase de reposo, en invierno regar menos pero con regularidad; después de la floración cortar hasta las hojas; es posible un emplazamiento de verano.
Variedades: *Laelia anceps* (ver ilustración): rosa/blanca, *L. purpurata*: rosa/blanca, *L. tenebrosa*: marrón/roja.
Híbridos: debido al tamaño del follaje se cruzan en muy raras ocasiones, por lo que no es fácil encontrarla en el mercado.

ALTURA: 10-15 cm
ANCHO: 10-15 cm
TIEMPO DE FLORACIÓN: finales de verano a finales de otoño.

flores muy grandes

Procedencia: Sudamérica.
Flores: en comparación con el tamaño de la planta, flores grandes; aterciopeladas, labelos oscuros, tépalos que cuelgan hacia abajo.
Crecimiento: epifito; planta pequeña, bulbos muy firmes con hojas rígidas de las que surgen al final una a dos flores.
Cultivo: necesita bastantes cuidados; durante el día de 18 a 20 °C, por las noches de 14 a 16 °C; posibilidad de cultivo en maceta y en cesta; es muy adecuada para el cultivo en bloque con el método de sándwich; no tiene una marcada fase de reposo, en invierno menos agua pero no muy espaciada; regar durante todo el año con agua de lluvia, no sumergir pero no dejar secar del todo; elevada humedad del aire, abonar de forma periódica; los racimos con flores marchitas se cortan hasta la hoja; es posible un emplazamiento de verano.
Variedades: *Laelia dayana*: roja rosada, *L. pumilla* (ver ilustración): roja rosada, *L. praestans*: roja rosada.
Híbridos: la *L. pumila* se cruza en muchas ocasiones debido al gran tamaño de sus flores.

ALTURA: 5-15 cm
ANCHO: 5-10 cm
TIEMPO DE FLORACIÓN: finales de verano a finales de otoño.

flores redondeadas con fuertes colores

Procedencia: Sudamérica.
Flores: colores muy fuertes, forma que puede ser desde redondeada a estrellada, aterciopelada; flores terminales; varias flores pequeñas en un ramillete.
Crecimiento: litofita, es decir, que crece sobre las piedras; planta pequeña; bulbos pequeños y firmes que están situados muy cerca unos de otros; tallo de flores erguido y alargado.
Cultivo: soleado; durante el día de 18 a 20°C, por las noches de 12 a 14 °C; cultivo en maceta: sustrato pedregoso (granulado de arcilla, piedra pómez o cualquier otro con poco material); no es muy adecuada para el cultivo en bloque o cesta; regar de forma moderada con agua de lluvia, no sumergir pero no dejar secar del todo; elevada humedad del aire, abono moderado; no tiene una marcada fase de reposo, en invierno menos agua pero no muy espaciada; los racimos con flores marchitas se cortan hasta la hoja; es posible un emplazamiento de verano.
Variedades: *Laelia briegeri*: amarilla, *L. milleri*: roja, *L. reginae* (véase ilustración): blanca/amarilla.
Híbridos: la *Steinlaelia* se cruza en numerosas ocasiones debido a la ventaja que supone su escaso crecimiento.

sol sol y sombra sombra cálido suave-cálido

Sophronitis

ALTURA: 5-10 cm
ANCHO: 5-10 cm
TIEMPO DE FLORACIÓN: principios de otoño a finales de otoño.

flores redondeadas de un puro color rojo

Procedencia: Sudamérica.
Flores: *Sophronitis coccinea* tiene de una a tres flores grandes, casi redondas y rojas, *S. cernua* es bastante más pequeña pero con más flores.
Crecimiento: epifito; planta pequeña; bulbos pequeños y alargados, la mayoría de las veces con una hoja, muchos tallos, tapizante.
Cultivo: a la sombra; durante el día de 18 a 20 °C, por las noches de 12 a 14 °C; adecuada para el cultivo en maceta, si se cultiva en bloque hay que hacerlo con el método de sándwich; mucho aire fresco y elevada humedad ambiental, nunca dejar secar ni mantener demasiado húmeda; regar con agua de lluvia, poco abono; no tiene una marcada fase de reposo, en invierno menos agua pero no muy espaciada; en verano se puede sacar al exterior, pero siempre a la sombra.
Variedades: *Sophronitis brevipedunculate*: roja anaranjada, *S. cernua*: roja, el centro de color lila, *S. coccinea* (ver ilustración): roja.
Híbridos: la *S. coccinea* se ha cruzado con casi todas las variedades de híbridos de poco crecimiento de las *Cattleya*; se reconoce porque tiene las hojas algo retorcidas.

OTROS GÉNEROS PRÓXIMOS

Nombre	Información	Flores/ Crecimiento	Peculiaridades
Barkeria		flores con forma de estrella con labelos grandes y planos, muchas veces rosa-rojo; crecimiento en forma de huso, erguido	buena floración; deben ser atadas; necesita elevada humedad del aire; crecen bien estando atadas
Brassavola		flores grandes y rizadas, la mayoría de color blanco verdoso. Llamativos labelos o pequeñas flores; crecimiento como las de la clase *Cattleya*	planta de gran crecimiento; sustrato suelto, las variedades de hojas redondas crecen muy bien en forma de cultivo en bloque
Broughtonia		flores casi redondas y de vivos colores, la mayoría de las veces rojo; pequeña, crecimiento como las de la clase *Cattleya*	planta grande; estructuras columniformes con otro color; los híbridos suelen ser la mayoría de las veces de escaso crecimiento
Diacrium, sin. Caularthr		racimos con flores blancas, labelos punteados; crecimiento como las *Cattleya* y *Epidendrum*	se conocen pocos híbridos
Domingoa		muchas y pequeñas flores de color marrón; planta pequeña, muchos tallos, una hoja por bulbo	apropiada para vitrinas; crece también atada; sin híbridos
Epidendrum		umbelas de flores terminales, la mayoría de color rojo o amarillo; crecimiento erguido, casi siempre muy altas	planta grande, floración abundante; forma plantas hijas
Leptotes		flores en forma de estrella, blancas con labelo rojo; hojas suculentas, redondeadas, en forma de tallo	mucha floración; crece mucho si está sujeta; soporta muy bien los días secos
Schomburgkia		flores con colores muy llamativos; racimos muy altos, crecimiento como las de la clase *Cattleya*	debido a su tamaño solo es adecuada para galerías de invierno o para pasillos que sean muy claros

Dendrobium

Hay más de 1.200 especies pertenecientes a este género de crecimiento epifito procedente de la zona asiática y australiana. Todas destacan por sus vivos colores y en muchas ocasiones por flores de un bello diseño.

En lo que se refiere a su crecimiento, las *Dendrobium* son, con seguridad, uno de los géneros de orquídea más variable. El tamaño de las plantas oscila desde unos pocos centímetros hasta más de dos metros de altura. Tienen bulbos que van de delgados a carnosos. Todas tienen en común una transición muy leve desde las raíces hasta los bulbos, lo que obliga en muchas ocasiones a sujetar las plantas para evitar que se venzan. Típico de sus flores es su espolón dirigido hacia atrás. Las flores nunca están situadas al final, sino que en muchas ocasiones aparecen tan cerca de la punta del racimo que a primera vista podríamos suponer que están situadas al final.

Común a todas las *Dendrobium* y sus parientes es que deben mantenerse en una maceta que sea pequeña en relación a la planta, de esa forma se evita que el sustrato se seque deprisa. Por tanto, deben ser regadas con regularidad. Son partidarias del aire fresco y eso hace que las hojas se sequen a gran velocidad. A pesar de eso necesitan de una humedad relativa del aire muy elevada para combatir la araña roja, pues son muy propensas al ataque de estos parásitos.

En cuanto a sus exigencias, las *Dendrobium* tienen unas diferencias muy relativas. Lo mejor es pedir consejo al viverista y, muy importante, se debe guardar la etiqueta en que figure escrito el nombre correcto de la planta. Algunas *Dendrobium* no precisan de una fase de descanso y, en cambio, otras la necesitan muy marcada en la que incluso se desprenden de sus hojas y, más tarde, a partir de unos bulbos casi secos, comienzan a brotar. Por el día las *Dendrobium* prefieren un clima de suave a cálido y por las noches son capaces de soportar temperaturas más bajas. Por lo tanto son adecuadas tanto para las repisas de la ventana como para galerías de invierno con elevadas oscilaciones térmicas.

En el mercado hay disponibles tres grupos de híbridos que se designan según la especie de su sección: híbridos *Nobile*, que también son conocidos como híbridos Yamamoto (sección *Dendrobium*) por el creador japonés de este grupo; híbridos *Phalaenopsis* (sección *Phalaenanthe*) y los escasos híbridos Formosanum (sección *Formosae*).

Híbridos Dendrobium-biggibum, D.-nobile *y* D.-phalaenopsis *(de izquierda a derecha), todos llevan flores con espolón.*

 sol sol y sombra ● sombra cálido  suave-cálido

Dendrobium	Dendrobium	Dendrobium
Sección Callista	Sección Dendrobium	Sección Dendrocoryne

ALTURA: 30-60 cm
ANCHO: 30-60 cm
TIEMPO DE FLORACIÓN: finales de invierno a finales de primavera.

racimos de flores amarillas

Procedencia: Sudeste asiático.
Flores: la mayoría de las veces racimos colgantes; blanco y/o amarillo con labelos amarillos o amarillos anaranjados; solo florece durante dos semanas.
Crecimiento: epifito, bulbos erguidos y carnosos, de dos a tres ásperas hojas finales.
Cultivo: semisombra; por el día por encima de los 16 a 18 °C, por las noches de 14 a 16 °C; posibilidad de cultivo en cesta o en bloque; riego de forma regular, durante la floración y en las estaciones cálidas riego más abundante; dos meses de fase de reposo, por ejemplo, finales de otoño y principios de invierno; durante el día dejar a temperaturas de 12 a 16 °C y por las noches de 10 a 14 °C, mantener casi secas; una vez marchitas las flores, cortar los racimos a la altura del bulbo; de mediados de primavera a finales de verano pueden quedar en el exterior.
Variedades: *Dendrobium chrysotoxum, D. densiflorum, D. farmeri, D. griffithianum:* todas amarillas, *D. palpebrae:* blanca/amarilla, *D. thyrsiflorum* (ver ilustración): blanca/anaranjada.
Híbridos: se conocen pocos híbridos primarios; no necesitan una fase de reposo tan marcada.

ALTURA: 20-60 cm
ANCHO: 10-30 cm
TIEMPO DE FLORACIÓN: finales de invierno a finales de primavera.

flores con el centro oscuro

Procedencia: Sudeste asiático.
Flores: muy marcada de color, de forma arbustiva a partir de bulbos de un año que ya casi carecen de hojas; duración de la floración de 8 a 12 semanas
Crecimiento: epifito, planta muy grande; bulbos largos y carnosos que deben ser atados para mantenerlos erguidos o para que cuelguen; forma hijuelos.
Cultivo: semisombra; por el día mejor por encima de los 16 a 18 °C, por las noches de 12 a 16 °C; posibilidad de cultivo en maceta, cesta o en bloque; obligatoria fase de reposo, de mediados de otoño a principios de invierno y en ese período mantener durante el día de 12 a 16 °C y por las noches de 10 a 14 °C, mantener seca; realizar la fase de reposo una vez que los nuevos brotes hayan crecido del todo (la mayoría de las veces a principios de otoño); cortar las flores marchitas a la altura del bulbo; de mediados de primavera a principios de otoño al aire libre, en caso de lluvia o temperaturas más frescas meter en casa.
Variedades: *Dendrobium loddigesii:* rosa/multicolor, *D. nobile* (ver ilustración): rosa/multicolor, *D. unicum:* naranja.
Híbridos: conocidos como híbridos *Nobile;* no son tan altos como los anteriores.

ALTURA: 20-100 cm
ANCHO: 10-50 cm
TIEMPO DE FLORACIÓN: principios de otoño a principios de primavera.

muchas flores y gran crecimiento

Procedencia: Este de Australia.
Flores: racimos terminales con varias flores colocadas en línea, la mayoría de las veces de un color; después de la fase de reposo la floración es muy abundante.
Crecimiento: epifito, planta muy grande, la *D. kingianum* es bastante más pequeña, delgada y con muchas ramas, *D. speciosum* es muy carnosa; de dos a cuatro hojas, floración terminal; forma hijuelos.
Cultivo: semisombra; por el día de 16 a 18 °C, por las noches de 14° a 16 °C; apropiada para cultivo en maceta, cesta o en bloque; riego regular, solo durante la floración y en las estaciones cálidas regar más; dos meses de fase de reposo, por ejemplo, finales de otoño y principios de invierno, durante el día de 12 a 16 °C, por las noches de 10 a 14 °C; mantener seca; cortar los racimos de flores marchitas a la altura del bulbo; obligatorio mantener al aire libre de mediados de primavera a principios de otoño.
Variedades: *Dendrobium × delicatum* (híbrido natural): blanca, *D. kingianum* (ver ilustración): rosa, *D. speciosum:* beis, *D. tetragonum:* marrón.
Híbridos: nuevas variedades con flores de dibujos blanco y rosa, la mayoría de las veces en forma de estrella.

Dendrobium
Sección Formosae

Dendrobium
Sección Latouria

Dendrobium
Sección Oxyglossum

ALTURA: 10-50 cm
ANCHO: 10-20 cm
TIEMPO DE FLORACIÓN: de finales de verano a principios de primavera.

grandes flores, período de floración muy largo

Procedencia: Sudeste asiático.
Flores: flores poco delicadas y la mayoría bastante grandes, en muchas ocasiones con una garganta en blanco y naranja; floración muy larga: hasta cuatro meses.
Crecimiento: epífito; bulbos delgados y altos con una ligera pilosidad negra; la mayoría de las veces las hojas no tienen más de dos años; existen clases de crecimiento pequeño, por ejemplo, la *Dendrobium bellatulum*.
Cultivo: semisombra; por el día por encima de los 16 a 18°C, por las noches de 12 a 16°C; apropiada para cultivo en maceta y en bloque; regar de forma periódica, no constituirá problema la existencia de unos cortos tiempos de sequía; no abonar nunca con dosis demasiado elevadas; no tiene una marcada fase de reposo, en invierno regar menos, pero nunca demasiado espaciado; cortar los racimos de flores marchitas a la altura del bulbo; de mediados de primavera a finales de verano al aire libre.
Variedades: *Dendrobium bellatulum* (ver ilustración), *D. cruentum, D. draconis:* blanca/naranja, *D. infundibulum, D. wattii:* blanca.
Híbridos: nuevos cruces de pequeño tamaño y con grandes flores.

ALTURA: 30-80 cm
ANCHO: 20-40 cm
TIEMPO DE FLORACIÓN: de finales de verano a principios de primavera.

flores retorcidas y multicolores

Procedencia: Nueva Guinea, Australia.
Flores: flores coloridas y muy extravagantes, parte de las yemas son también de formas poco comunes: los racimos llevan varias flores que en muchas ocasiones presentan dibujos en la parte posterior de los tépalos.
Crecimiento: epífito; planta muy fuerte en forma de arbusto, crecimiento lento; bulbos engrosados por el centro, erguidos, de dos a tres hojas coriáceas.
Cultivo: semisombra; por el día mejor por encima de los 18 a 20 ºC, por las noches de 16 a 18 ºC; apropiada para cultivo en maceta, cesta y bloque; regar con regularidad, echar más agua durante la floración y la estación más cálida del año; sin fase de reposo, en invierno regar menos, pero nunca demasiado espaciado; cortar los racimos de flores marchitas a la altura del bulbo; de mediados de primavera a finales de verano se encuentra bien al aire libre.
Variedades: *Dendrobium atroviolaceum:* blanca/lila, *D. finistrae:* blanca, *D. macrophyllum, D. spectabile* (ver ilustración): multicolor.
Híbridos: no son conocidos.

ALTURA: 5-10 cm
ANCHO: 2-4 cm
TIEMPO DE FLORACIÓN: de mediados de invierno a finales de verano.

enormes flores de brillantes colores

Procedencia: Nueva Guinea, Indonesia.
Flores: colores brillantes, las flores son muy grandes en comparación con el tamaño total de la planta; con un buen cultivo produce mucha flor.
Crecimiento: epífito; planta de crecimiento pequeño en forma de arbusto, muchos tallos, de dos a tres hojas terminales de aspecto coriáceo.
Cultivo: soleado o semisombra; por el día de 18 a 20 ºC, por las noches de 16 a 18 ºC; posibilidad de cultivo en cesta, el cultivo en bloque sólo se puede hacer según el método de sándwich; mucho aire fresco y además elevada humedad ambiental; es mejor regar con agua de la lluvia, poco abono; sin fase de reposo, en invierno regar menos, pero nunca demasiado espaciado; cortar los racimos de flores marchitas a la altura del bulbo; desde mediados de primavera a finales de verano puede estar al aire libre.
Variedades: *Dendrobium cuthbertsonnii* (véase ilustración): de 1 a 2 colores, todos los colores excepto el azul, *D. vexillarius:* rosa/naranja, *D. violaceum:* rosa/lila.
Híbridos: no existen muchos híbridos primarios, pero son bastante más grandes y floridos que las especies.

 sol sol y sombra ● sombra cálido suave-cálido

Dendrobium
Sección Pedilonum

Dendrobium
Sección Phalaenanthe

Dendrobium
Sección Spatulatha

ALTURA: 5-60 cm
ANCHO: 2-20 cm
TIEMPO DE FLORACIÓN: de finales de invierno a mediados de verano.

racimos de flores con fuertes colores

Procedencia: Sudeste asiático.
Flores: muchas flores pequeñas, si están independientes son poco vistosas, su belleza se muestra más en los racimos que salen del centro del tronco.
Crecimiento: epifito; bulbos largos y esbeltos; la mayoría de las veces las hojas se caen antes que las flores.
Cultivo: semisombra; por el día mejor por encima de los 16 a 18 °C, por las noches de 12 a 16 °C; posibilidad de cultivo en maceta, cesta y bloque; se recomienda atar si se dispone de posibilidades de cultivo; como la maceta suele ser demasiado pequeña para la planta, debe ser regada más a menudo, pero no más de lo que se haría en el caso de plantas más grandes; sin fase de descanso; cortar los racimos de flores marchitas a la altura del bulbo; de mediados de primavera a finales de verano al aire libre.
Variedades: *Dendrobium amethystoglossum*: blanca/rosa, *D. miyakei*: roja-violeta, *D. secundum*: roja, *D. victoria-reginae* (ver ilustración): de azul a azul rosado.
Híbridos: existen pocos híbridos, por ejemplo, con *D. victoria-reginae*, de la que ha heredado unas enormes flores azules.

ALTURA: 20-60 cm
ANCHO: 20-30 cm
TIEMPO DE FLORACIÓN: de principios de invierno a finales de otoño.

racimos con muchas flores

Procedencia: Sudeste asiático.
Flores: grandes flores, racimos con muchas flores al final de los bulbos; florecen con mucha facilidad.
Crecimiento: epifito; planta grande; bulbos fuertes y carnosos con hojas alternadas.
Cultivo: semisombra; por el día mejor de 18 a 20 °C, por las noches de 14 a 16 °C; posibilidad de cultivo en maceta, cesta y bloque; cultivar en ambiente cálido durante todo el año; sin pausa de descanso, en invierno riego más ocasional, pero nunca de forma escasa; cortar los racimos de flores marchitas a la altura del bulbo; posibilidad de emplazamiento al aire libre en verano, pero no es recomendable.
Variedades: *Dendrobium biggibum* (ver ilustración): rosa blanca o también a rayas, de escaso crecimiento, *D. phalaenopsis*: rosa blanca o a rayas, *D. williamsianum*: rosa/azul.
Híbridos: existen muchos híbridos, conocidos como híbridos *Dendrobium-phalaenopsis*, en rosa y en blanco, con manchas, rayas etc.; los denominados híbridos *Biggibum* son parecidos, pero de menor crecimiento.

ALTURA: 30-150 cm
ANCHO: 20-40 cm
TIEMPO DE FLORACIÓN: de finales de invierno a mediados de verano.

tépalos rizados

Procedencia: Sudeste asiático.
Flores: sépalos erguidos y retorcidos, que las hace recibir la denominación de «orquídeas antílope»; racimos con varias flores, varios racimos.
Crecimiento: epifito; planta grande; hojas de color verde claro, muy crujientes y casi cristalinas, se pueden romper con mucha facilidad.
Cultivo: soleado; por el día mejor por encima de los 16 a 18 °C, por las noches de 14 a 16 °C; solo apropiada para cultivo en maceta; es importante que disponga de mucha claridad y aire fresco, el calor le va bien pero puede ser cultivada con algo menos de temperatura; sin pausa de descanso, cortar los racimos de flores marchitas a la altura del bulbo; de mediados de primavera a finales de verano estancia en el exterior.
Variedades: *Dendrobium antennatum* (ver ilustración): blanca/verde, *D. canaliculatum*: blanca/amarilla, *D. minax*: verde/blanca, *D. lasianthera*: lila.
Híbridos: son conocidos los cruces con la sección *Phalaenanthe*, se reconocen enseguida por sus sépalos retorcidos; se cultivan igual que las de otras secciones.

Oncidium y géneros próximos

Las *Oncidium* y sus parientes proceden todas de Sudamérica y se caracterizan por sus flores muy cambiantes, coloridas y extravagantes. Se desarrollan muy bien si en verano están al aire libre.

Las *Oncidium* y sus géneros próximos proceden de los bosques de nieblas y las laderas de las montañas de Sudamérica. Allí se las llama «lluvia de oro» por sus numerosas flores amarillas. En sus lugares de origen disfrutan de temperaturas frescas y, por eso en nuestras latitudes se las conoce como orquídeas de invernadero frío. Por ello la mayoría de los híbridos también se cultiva muy bien en viviendas que mantengan temperaturas normales y siempre que se les ofrezca una pequeña pausa de descanso. Esta pausa se puede realizar en un emplazamiento de verano en el jardín. Las plantas prefieren un calor relativo durante el día, siempre a la sombra, y algo más de fresco por la noche. No hay que olvidar el riego, sobre todo si sopla viento seco y cálido. Si en verano no pueden permanecer al aire libre, se recomienda tenerlas dos meses después de la floración en un espacio más fresco. Los meses adecuados para esta fase de descanso es la época de mayor oscuridad, de mediados de otoño a mediados de invierno. Después del descanso se regarán con abundancia y al poco tiempo surgirán los primeros brotes. El resto del año las *Oncidium* prefieren calidez por el día (sin exageraciones) y un claro descenso en la noche. El lugar ideal es una veranda, algo cálida por el día y con razonables temperaturas mínimas nocturnas. El sustrato siempre estará húmedo, no se puede secar.

Se reconocen muy bien por sus grandes flores variadas, coloridas y de formas extravagantes y sus fuertes bulbos. Las posibilidades de cruces son muy altas y eso ha permitido desde hace ya mucho tiempo un enorme abanico de colores y aspectos. Aunque algunos grupos como las *Psychopsis* y *Tolumnia* se han convertido en géneros propios, el género *Oncidium* es uno de los más numerosos: unas 500 formas naturales.

Los híbridos de Oncidium: *la* Odontocidium, *la* Burragearea *y la* Odontonia, *se caracterizan por sus numerosas flores y magnífico colorido.*

 sol sol y sombra ● sombra ⌯ᶜ cálido ⌯ᶜ suave-cálido

Oncidium

Brassia

Miltoniopsis
(sin. Miltonia)

ALTURA: 2-100 cm
ANCHO: 2-100 cm
TIEMPO DE FLORACIÓN: de finales de verano a mediados de primavera.

abundantes flores amarillas

Procedencia: Sudamérica.
Flores: abundante floración; en ocasiones grandes labelos amarillos; muchas flores.
Crecimiento: epifito, planta grande; de pequeños y fuertes bulbos con hojas situadas al final; en ocasiones crecimiento trepador; es normal que los bulbos presenten muchos surcos.
Cultivo: entre soleado a semisombra; por el día mejor por encima de los 16 a 18 °C, por las noches de 10 a 12 °C, e incluso puede bajar a los 8 °C; en verano por el día la temperatura será lo más fresca que se pueda; cultivable en maceta, cesta o en bloque, éste es óptimo para las de escaso crecimiento; cambiar de maceta todos los años; pues las raíces aéreas no crecen bien en tiesto; pausa de reposo desde mediados de otoño a principios de invierno que es cuando refrescan las temperaturas, como durante el día son algo más cálidas, se regarán poco o nada; los racimos marchitos se cortan, aún en estado verde, a la altura de la axila de las hojas; al aire libre desde mediados de primavera hasta principios de otoño.
Variedades: *Oncidium forbesii*: marrón, *O. mantense* (ver ilustración): amarilla, *O. ornithorhynchum*: lila, *O. sphacelatum*: amarilla, *O. varicosum*: amarilla/negra.
Híbridos: muchas veces se cruza con *Odontoglossum* o bien con *Miltoniopsis*.

ALTURA: 30-60 cm
ANCHO: 30-40 cm
TIEMPO DE FLORACIÓN: de mediados de invierno a mediados de verano.

flores con aspecto de araña

Procedencia: Sudamérica.
Flores: parte de los sépalos y pétalos resultan muy largos; racimos con muchas flores; no confundir con la *Brassavola*.
Crecimiento: epifito, planta muy grande aunque a veces le cuesta florecer; bulbos planos rodeados de largas y suaves hojas; crecimiento trepador.
Cultivo: semisombra; por el día de 18 a 20 °C, por las noches de 14 a 16 °C; posibilidad de cultivo en maceta o cesta: siempre crece muy bien; no precisa de una acusada pausa de reposo, regar menos en invierno pero nunca de forma escasa; cortar los racimos de flores marchitas a la altura del bulbo; dejar al aire libre desde mediados de primavera hasta principios de otoño.
Variedades: *Brassia angusta* (ver ilustración): blanca, *B. maculata, B. lawrencena, B. longissima*: todas amarillas/marrones, *B. verrucosa*: verdosa/marrón.
Híbridos: se heredan los largos sépalos y pétalos; híbridos más conocidos: *Brassia rex* con flores de gran tamaño; híbridos de género: *Aliceara, Beallara, Degarmoara. Miltassia*, entre otros.

ALTURA: 30-50 cm
ANCHO: 20-30 cm
TIEMPO DE FLORACIÓN: de finales de verano a principios de primavera.

flores parecidas a los pensamientos

Procedencia: Sudamérica.
Flores: flores aterciopeladas muy grandes con una especie de mancha oscura en el centro, muy parecidas a los pensamientos; floración abundante.
Crecimiento: epifito; bulbos con hojas y envueltos; los racimos crecen desde la base del bulbo.
Cultivo: a semisombra; por el día mejor por encima de los 16 a 18 °C, por las noches de 10 a 12 °C, en verano durante el día lo más fresco posible; solo cultivo en maceta; es importante una temperatura y una humedad uniformes; en invierno, durante la fase de reposo de dos meses, colocar en un lugar más fresco, regar menos pero no demasiado espaciado; los racimos marchitos se cortan hasta llegar a la hoja de recubrimiento; dejar al aire libre desde mediados de primavera hasta principios de otoño.
Variedades: *Miltoniopsis vexillaria*: rosa, M. roezlii (ver ilustración): blanca/amarilla/marrón, *M. phalaenopsis*: blanca/lila.
Híbridos: dentro del género hay híbridos que son muy atractivos, pero también algunos híbridos de género, por ejemplo, con *Brassia (Miltassia), Odontoglossum (Odontonia)* e híbridos de varios géneros: *Burrageara, Vuylstekeara*.

 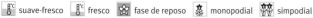

| Odontoglossum | Psychopsis (sin. Oncidium) | Rossioglossum (sin. Odontoglossum) |

ALTURA: 30-70 cm
ANCHO: 30-40 cm
TIEMPO DE FLORACIÓN: de mediados de verano a mediados de primavera.

tépalos ondulados

Procedencia: Sudamérica.
Flores: flores muy grandes y coloridas, colores bien delimitados, abundante floración; la mayoría de los racimos son grandes y erguidos, en parte ramificados.
Crecimiento: epifito; bulbos con hojas y envueltos; los racimos crecen desde la base del bulbo.
Cultivo: a semisombra; por el día mejor por encima de los 16 a 18 °C, por las noches de 10 a 12 °C, en verano durante el día lo más fresco posible; cultivo en maceta o en cesta, es demasiado grande para el cultivo en bloque; temperaturas muy uniformes, pero por las noches el descenso debe ser al menos de 6 °C; en invierno reposo de dos meses, colocar en un lugar más fresco, regar menos pero no demasiado espaciado; los racimos marchitos se cortan hasta llegar a la hoja de envoltura; dejar al aire libre desde mediados de primavera hasta principios de otoño.
Variedades: *Odontoglossum bictoniense*: marrón/verde, *O. crispum*: blanca/marrón, *O. harryanum*: multicolor, *O. madrense* (ver ilustración): blanca/roja/amarilla.
Híbridos: híbridos de género: *Odontioda* (con *Cochlioda*), *Odontonia* (con *Miltonia*), *Burrageara, Odontorettia, Vuylstekeara*.

ALTURA: 30-40 cm
ANCHO: 30-40 cm
TIEMPO DE FLORACIÓN: principios de invierno a finales de otoño.

floración repetitiva

Procedencia: Sudamérica.
Flores: labelos grandes, atractivos y ondulados con forma de hilos, pétalos y sépalos que se dirigen hacia arriba; floración repetitiva, es decir, una yema se abre a continuación de la otra, por lo que los tiempos de floración son muy largos.
Crecimiento: epifito; las plantas adultas crecen muy bien; follaje muy duro, erguido y punteado.
Cultivo: soleado; por el día de 18 a 20 °C, por las noches de 14 a 16 °C; solo adecuada para cultivo en maceta o en cesta; mantener muy seca pero sin llegar a la sequedad total; elegir un sustrato ligero que la proteja de las grandes oscilaciones térmicas; sin pausa de reposo; cortar los racimos en el momento en que ya no se vean más yemas, lo que puede ocurrir al cabo de un año; no es necesaria una estancia de verano al aire libre.
Variedades: *Psychopsis kramerianum, P. papilio*: ambas amarilla/naranja, *P. sanderae* (véase ilustración): amarilla/naranja, *P. veerstegianum*: amarilla/naranja.
Híbridos: solo se conocen cruces dentro del mismo género.

ALTURA: 30-40 cm
ANCHO: 20-30 cm
TIEMPO DE FLORACIÓN: finales de verano a principios de primavera.

flores muy grandes

Procedencia: Sudamérica.
Flores: flores muy grandes en racimos cortos, amarillas con topos marrones.
Crecimiento: epifito; bulbos muy fuertes con hojas situadas en sus extremos; los racimos crecen a partir de la base del bulbo.
Cultivo: a semisombra; por el día mejor por encima de los 16 a 18 °C, por las noches de 10 a 12 °C, en verano mantener lo más fría posible; solo apta para cultivo en maceta; en la época de crecimiento (primavera, verano) regar y abonar bien, tener muy en cuenta un elevado descenso de las temperaturas; pausa de reposo en invierno, al menos dos meses, colocar en un lugar más fresco pero no dejar secar; cortar los racimos marchitos a la altura de la hoja de envoltura; mantener al exterior desde mediados de primavera a principios de otoño.
Variedades: *Rossioglossum grande, R. williamsianum* (ver ilustración), *R. insleayi, R. splendens*: todas amarillas con manchas marrones.
Híbridos: solo dentro del género, el más conocido es *Rossioglossum Rawdon Jetser*, un cruce de *R. williamsianum* × *R. grande*.

 sol sol y sombra ● sombra cálido  suave-cálido

Tolumnia (sin. Oncidium)
(Nombre comercial: Variegate-Oncidium)

ALTURA: 5-15 cm
ANCHO: 5-15 cm
TIEMPO DE FLORACIÓN: de finales de invierno a principios de otoño.

flores muy coloridas

Procedencia: Islas del Caribe.
Flores: flores muy pequeñas y coloridas con grandes labelos, tallos delgados y largos.
Crecimiento: epifito; planta pequeña; hojas casi triangulares conectadas entre sí; plantas muy compactas.
Cultivo: a semisombra; por el día de 18 a 20 °C, por las noches de 14 a 16 °C; precisa bastantes cuidados; lo mejor es el cultivo en bloque con mucha humedad ambiental y aire fresco, también suele florecer bien en maceta, pero entonces necesita un sustrato húmedo aunque nunca empapado, crece mejor si se sujeta atándola; ideal para vitrinas, terrarios y similares; sin fase de reposo; cortar los racimos marchitos por encima de un nudo y si luego no vuelve a brotar, eliminar la vara desde la base; en verano no soporta la estancia al aire libre.
Variedades: las formas naturales ya casi no aparecen en el mercado; *Tolumnia triquetrum*: multicolor.
Híbridos: híbridos *Variegate-Oncidium* (ver ilustración): multicolor, en el mercado solo hay híbridos, la mayoría dentro del mismo género, aunque también existen cruces con *Rodriguezia* (*Rodricidium*), *Comparettia* (*Oncidettia*) y *Ionopsis* (*Ionocidium*).

OTROS GÉNEROS PRÓXIMOS

Nombre	Información	Flores/Crecimiento	Peculiaridades
Ada		flores con forma de campana, acabadas en pico, muy juntas unas a otras; crecimiento como la *Odontoglossum*	cultivo como la *Odontoglossum*; híbridos con muchas flores de color naranja
Cochlioda		racimos cortos con muchas flores rojas o rosas; crecimiento como la *Odontoglossum*	planta pequeña; cultivo como la Odontoglossum, pero más frío
Comparettia		racimos largos con vivos colores, flores bastante grandes; bulbos muy pequeños	crece muy bien atada; mucha humedad del aire; híbridos con *Tolumnia* (*Oncidettia*)
Gomesa		algo discretas pero todas juntas resultan muy atractivas; crecimiento como la *Odontoglossum*	planta pequeña; cultivo como la *Odontoglossum*; híbridos con muchas flores y racimos
Ionopsis		muchas flores pequeñas blancas en largos racimos; crecimiento como la *Comparettia*	planta pequeña; solo adecuada para grandes vitrinas; sujetar los tallos
Leochilus		crecimiento como la *Comparettia*; varios racimos cortos con flores poco vistosas	planta pequeña; híbrido más conocido: *Howeara Mini-Primi*
Miltonia		flores firmes, coloridas, la mayoría con una base amarilla, muy abundantes; bulbos con hojas	planta grande; hay que sujetarla
Notylia		racimos de flores, las flores aisladas pasan desapercibidas; crecimiento como la *Comparettia*	planta pequeña; es fácil de cultivar si se sujeta
Rodriguezia		flores generalmente blancas y con un notable espolón; planta trepadora	la mayoría de las veces sí está sujeta; en ocasiones se cruza con la *Tolumnia* (*Rodricidium*)

Paphiopedilum y géneros próximos

Con sus típicas flores en forma de zapato estas orquídeas no pasan inadvertidas. Su aspecto de zapatito de dama las hace conocidas en todo el mundo, sus variedades crecen tanto en Centroeuropa como en los trópicos.

Para muchos es la reina de las orquídeas: *Paphiopedilum* es un género cuyo nombre popular («zapatito de dama», «sandalia de Venus», «zapatilla de mujer» son algunas de sus muy diversas denominaciones) proviene de su nombre botánico (*Paphia* tiene su origen en *Paphos* como referencia a Venus y *pedilon* equivale a sandalia, zapato, etc.). Su labelo tiene forma de zapato de mujer. Desde un punto de vista botánico y de desarrollo, este género está alejado del resto de las orquídeas, ya que en ella el polen se asienta en dos puntos de la columna y en el resto de las orquídeas lo hace en uno. La forma de zapato no solo sorprende por parecer una trampa para moscas, sino que lo es: los insectos que buscan néctar en el zapato caen en él y solo disponen de una vía de escape por la que pasar por un estrecho pasillo, primero por el estigma y luego por el polen en el que se impregnan y transportan a otra flor. Se excluye la autopolinización.

En los últimos años han aparecido nuevas especies en China y países fronterizos. Algunas son muy llamativas, como la *Paphiopedilum armeniacum*, de un brillante color amarillo. Llama la atención el color de las clases sudamericanas: es muy conocida la *Phragmipedium bessae*, descubierta a finales del siglo XX, es de un vivo tono rojo.

Al género *Paphiopedilum* pertenecen unas 60 clases, al de *Phragmipedium* otras 25 . El género *Cypripedium*, con un total de 40 clases, aparece en zonas de clima moderado de todo el planeta. Todas son terrestres y por tanto enraízan en sustrato. No tienen raíces aéreas sino unas finas pilosidades radiculares que absorben agua de la tierra. Si no se trasplantan de forma regular necesitarán todos los años de un aporte de cal. Precisan de una pausa de descanso que no debe ser seca: se regarán con regularidad. No soportan fuertes oscilaciones térmicas.

> *El labelo con forma de zapatito de dama, a pesar de la gran variedad de las flores, es una de las indiscutibles características de estas orquídeas.*

 sol sol y sombra ● sombra cálido suave-cálido

Paphiopedilum
Subgénero Brachypetalum

Paphiopedilum
Subgénero Cochlopetalum

Paphiopedilum
Subgénero Paphiopedilum

ALTURA: 10-15 cm
ANCHO: 15-25 cm
TIEMPO DE FLORACIÓN: de principios de primavera a mediados de verano.

grandes flores moteadas

Procedencia: Sudeste asiático, sur de China.
Flores: flores grandes casi redondas, no suelen tener gran floración; dos flores por tallo, tallos cortos, «zapatos» gruesos, alargados y lisos por el exterior; los tallos tienen pilosidades.
Crecimiento: terrestre; crecimiento lento; hojas muy firmes, por encima de un verde intenso algo veteado, por la parte inferior motas de tono morado oscuro; plantas muy compactas.
Cultivo: semisombra; por el día de 18 a 20 °C, por las noches de 14 a 16 °C; cultivo en maceta; crece muy despacio, por lo que es fácil cometer errores de cultivo como puede ser un riego exagerado; una vez al año añadir carbonato cálcico o un abono calizo; sin fase de descanso; cortar los racimos marchitos; en verano dejar al aire libre.
Variedades: *Paphiopedilum bellatulum*: blanca, puntos color púrpura oscuro, *P. concolor* (ver ilustración): beis/verde amarillento, puntos de color púrpura, *P. niveum*: blanca, puntos de color púrpura.
Híbridos: Se heredan los colores básicos claros y la gran cantidad de puntos; flores muy interesantes, pero en ocasiones son de floración perezosa.

ALTURA: 10-20 cm
ANCHO: 20-30 cm
TIEMPO DE FLORACIÓN: de finales de invierno a finales de primavera.

floración repetitiva

Procedencia: Sumatra, Java.
Flores: pequeñas flores con pétalos girados y estandartes muy marcados; floración repetitiva, durante un año genera una flor tras otra.
Crecimiento: terrestre; compacto; hojas veteadas con bordes algo pilosas.
Cultivo: semisombra; por el día de 18 a 20 °C, por las noches de 14 a 16 °C; cultivo en maceta; cortar los racimos en cuanto se observe que la última flor es bastante más pequeña que las primeras, en ese momento ya no tendrá capacidad para una nueva floración y precisará de cuidados; sin fase de descanso; desde mediados de de primavera a finales de verano puede estar en el exterior.
Variedades: *Paphiopedilum chamberlainianum*: verde/rosa, *P. liemianum* (sin.: *P. chamberlainianum var. Liemianum*, ver ilustración): verde/rosa, *P. glaucophyllum*: verde/rosa.
Híbridos: maravillosos cruces, sobre todo con la sección *Polyantha*, con la que se forman flores adicionales; el crecimiento de los híbridos es más compacto que en el caso de la *Polyantha*.

ALTURA: 15-30 cm
ANCHO: 15-40 cm
TIEMPO DE FLORACIÓN: de finales de verano a mediados de primavera.

color marcado y abundante floración

Procedencia: Noreste de la India, sur de la China, Tailandia.
Flores: flores de hasta un tamaño de 15 cm muy variadas y con alegres colores, solo una flor por tallo.
Crecimiento: terrestre; relativamente escaso, planta con muchos tallos; las hojas están punteadas en parte por su zona inferior.
Cultivo: semisombra; por el día de 16 a 20 °C, posibilidad de estar a 18 °C, por las noches de 10 a 14 °C; los híbridos americanos no deben bajar por la noche de los 14 °C; cultivo en maceta; en invierno colocar en un lugar más fresco y seco; cortar los racimos marchitos; también en verano les va muy bien que las noches sean algo más frescas, por tanto, desde mediados de primavera a finales de verano se pueden cultivar al aire libre.
Variedades: *Paphiopedilum charlesworthii*: rosa, *P. fairrieanum*: roja/marrón, *P. hirsutissimum*: roja y marrón, *P. insigne* (ver ilustración): amarilla, *P. spicerianum*: verde/blanca, *P. villosum*: marrón.
Híbridos: este subgénero es el origen del cultivo de orquídeas de grandes flores; los denominados híbridos americanos también reciben el nombre de «cabeza de col».

Paphiopedilum
Subgénero Parvisepalum

Paphiopedilum
Subgénero Polyantha

Paphiopedilum
Subgénero Sigmatopetalum

ALTURA: 10-15 cm
ANCHO: 15-30 cm
TIEMPO DE FLORACIÓN: de finales de invierno a mediados de verano.

gran labelo en forma de zapato

Procedencia: Vietnam del Norte, sudeste de China.
Flores: grandes labelos con forma de zapatito de dama; solo las plantas más fuertes dan una segunda flor en un tallo largo.
Crecimiento: terrestre; relativamente escaso; forman claros rizomas.
Cultivo: semisombra; por el día de 18 a 20 °C, por las noches de 14 a 16 °C, pero nunca por debajo de los 14 °C, prefieren algo más de calor; cultivo en maceta, en el caso de grandes macetas es obligatorio rellenar con un material de drenaje, sin embargo, a causa de los rizomas son mejores las bandejas planas; sin fase de descanso, en invierno un poco más frío y seco; cortar los racimos marchitos; en verano no se puede dejar al aire libre.
Variedades: *Paphiopedilum armeniacum*: *P. malipoense*: amarilla, ligeros puntos color púrpura, *P. delenatii* (ver ilustración): blanca con zapato rosa y centro amarillo, *P. malipoense*: verde con rayas negras y centro negro, *P. micranthum*: amarilla con acusados dibujos de tono rosa en los pétalos, zapato rosa.
Híbridos: dado que se trata de un descubrimiento reciente, existen pocos híbridos, pero sus flores son siempre de un intenso colorido.

ALTURA: 30-50 cm
ANCHO: 40-60 cm
TIEMPO DE FLORACIÓN: principios de primavera a mediados de verano.

racimos con muchas flores

Procedencia: Sudeste asiático, Filipinas.
Flores: zapatos estrechos muy sobresalientes, en parte de pétalos girados, de cuatro a seis flores, racimos largos.
Crecimiento: terrestre; planta bastante grande y de lento crecimiento; hojas de hasta 60 cm de largo, delgadas, color verde claro y sin dibujo.
Cultivo: soleado, semisombra; por el día como mínimo de 18 a 20 °C y por las noches al menos 16 °C, resiste fases cortas más frescas; cultivo en maceta, sustrato suelto en una maceta que sea algo pequeña para que se pueda secar deprisa, a continuación volver a regar con intensidad; sin fase de descanso; cortar los racimos marchitos; en verano no se puede dejar al aire libre.
Variedades: *Paphiopedilum philippinense*: zapato amarillo, marrones, pétalos colgantes, estandarte color blanco verduzco; *P. rothschildianum* (ver ilustración): zapato de color marrón rojizo, pétalos y estandarte rayados.
Híbridos: de su unión con la *Cochlepetalum* aparecen plantas mutiflorales que continúan floreciendo algo; los cruces con la *Parvisepalum* dan como resultado unas flores de alegres colores.

ALTURA: 10-30 cm
ANCHO: 20-40 cm
TIEMPO DE FLORACIÓN: de principios de otoño a mediados de primavera.

alegres colores, la mayoría de las veces solo una flor

Procedencia: Himalaya, sudeste asiático, sur de China.
Flores: flores muy variadas, lo normal es una sola flor y en raras ocasiones dos, en un largo y erguido tallo de 25 a 40 cm algo piloso; florece muy bien.
Crecimiento: terrestre; planta vigorosa, algo pequeña, compacta; hojas veteadas de forma irregular con color verde claro y oscuro; según la especie, la parte inferior de las hojas está punteada.
Cultivo: semisombra; por el día de 16 a 20 °C, por las noches de 12 a 16 °C; por las noches no debe bajar de los 14 °C, por el día lo más cálido posible; cultivo en maceta; sin fase de descanso, cortar los racimos marchitos; dejar al aire libre desde mediados de primavera hasta finales de verano.
Variedades: *Paphiopedilum callosum* (ver ilustración): marrón rojizo, *P. purpuratum*: púrpura, *P. sukhakulii*: verde, *P. venustum*: verde, *P. wardii*: verde con puntos negros.
Híbridos: muchos híbridos dentro del propio grupo, en ocasiones se designan como tipos Maudiae; los hay en verde, rojo brillante y púrpura oscuro (casi negro) por lo que son denominados tipos Vinicolor.

sol sol y sombra ● sombra cálido suave-cálido

Cypripedium

Phragmipedium
Sección Micropetalum

Phragmipedium
Sección Phragmipedium

ALTURA: 30-60 cm
ANCHO: 25-35 cm
TIEMPO DE FLORACIÓN: principios de primavera a finales de primavera.

resistente al invierno

Procedencia: Europa, Norteamérica, Siberia.
Flores: flores muy variadas y de diversos colores, la mayoría las veces los pétalos están algo girados y son tan grandes como los sépalos, no son vistosas.
Crecimiento: terrestre; vástagos erguidos y altos con grandes hojas de envoltura.
Cultivo: semisombra; en nuestras latitudes se cultiva al aire libre o en maceta, es resistente al invierno, en cuya época necesita de forma obligatoria de las heladas; cortar los racimos marchitos; cultivo muy distinto al del resto de las orquídeas: necesita un trato muy delicado; precisan de una buena protección contra los ataques de los caracoles o los ratones.
Variedades: *Cypripedium calceolus* (ver ilustración): amarilla/marrón, *C. formosanum*: blanca, *C. macranthum*: rosa/roja, *C. pubescens*: amarilla/marrón, *C. reginae*: rosa/blanca.
Híbridos: se han conseguido algunos híbridos, la mayoría son mucho más sencillos de cultivar en jardín.

ALTURA: 15-25cm
ANCHO: 25-35 cm
TIEMPO DE FLORACIÓN: principios de primavera a finales de verano.

flores pequeñas de alegres colores

Procedencia: Sudamérica.
Flores: flores de vistoso colorido, aterciopeladas, algo pequeñas y con colores intensos, pétalos y sépalos parecidos en forma y color.
Crecimiento: terrestre; compacta; racimos largos y estirados, en parte con hojas como envoltura protectora, posibilidad de ramificación; en ocasiones forman largos rizomas.
Cultivo: semisombra; durante el día de 18 a 20 °C, por las noches de 14 a 16 °C; cultivo en maceta o en bandeja; requiere bastantes cuidados, de ninguna manera puede secarse, en sus lugares de origen están en agua; sin fase de descanso; cortar los racimos en el momento en que ya no formen yemas pequeñas; colocar en el exterior desde mediados de primavera hasta finales de verano.
Variedades: *Phragmipedium besseae* (ver ilustración): roja, *P. dellessandroi*: roja/naranja *P. schlimii*: blanca/rosa.
Híbridos: muchos cruces rojos con orquídeas del tipo zapato de dama, pero en ocasiones también en parte con colores apagados; los híbridos son de fuerte crecimiento.

ALTURA: 30-50 cm
ANCHO: 40-60 cm
TIEMPO DE FLORACIÓN: principios de primavera a principios de otoño.

pétalos fuera de lo común

Procedencia: Sudamérica.
Flores: coloridas, pétalos más o menos girados, más largos que los sépalos, en el caso de la *P. caudatum* hasta 1 m de largo; las flores no se marchitan sino que se limitan a caerse del racimo; florece de una a tres veces.
Crecimiento: terrestre; mucho crecimiento; hojas largas y delgadas, la *P. pearcei* es compacta.
Cultivo: semisombra; durante el día de 18 a 20 °C, por las noches de 14 a 16 °C; mantener húmeda, de ninguna forma debe secarse, en sus lugares de origen están en agua; sin fase de descanso; cortar los racimos en cuanto ya no se formen yemas pequeñas; colocar al aire libre desde mediados de primavera hasta finales de verano.
Variedades: *Phragmipedium besseae* (ver ilustración): verdosa, *P. caudatum*, *P. ecuadorense*, *P. lindeni*: sin zapato, *P. sargentianum*: verdosa/rosa.
Híbridos: la mayoría de las veces solo híbridos primarios pero que llaman la atención por la duración de su floración y sus exóticas flores; en ocasiones tienen un tallo floral muy largo.

---

 suave-fresco fresco fase de reposo monopodial simpodial

Phalaenopsis y géneros próximos

Cualquier amante de las plantas de interior las conoce: la *Phalaenopsis* es más habitual en nuestras viviendas que cualquier otra orquídea. No debe extrañar, pues estas exóticas plantas de gran floración son de fácil cuidado.

El género *Phalaenopsis* es el más conocido en todo el mundo. Incluso posee el récord de ser la planta de maceta más vendida en todo el planeta. Los híbridos de *Phalaenopsis* se venden en casi todos los sitios. No solo son fáciles de cuidar sino que también son muy variadas las formas, coloración y tamaño de sus flores. Además tienen una rica floración que es muy prolongada, siendo éste otro motivo por el que son tan apreciadas. Igualmente se

> *Los híbridos de* Phalaenopsis *son la esencia de las orquídeas. Sus largos tiempos de floración convencen a cualquier amante de estas plantas.*

reconocen muy bien por su crecimiento: crecen de forma monopodial y cada cuatro u ocho meses forman una hoja carnosa y casi coriácea.

Las *Phalaenopsis* y sus parientes son epifitas. Sus raíces aéreas están cubiertas por una gruesa capa gris de velamen que en contacto con la humedad se vuelve verde enseguida. Estas raíces lisas y carnosas suelen ser redondeadas y en la Naturaleza encuentran un buen apoyo sobre plantas desde las que absorben con facilidad el agua y los nutrientes. Se suelen cultivar en maceta y adquieren el agua necesaria a partir del sustrato. Para que no se pudran, después del riego el sustrato debe estar siempre seco.

Las *Phalaenopsis* no precisan de una pausa de descanso, pero sí de un descenso de la temperatura nocturna para volver a florecer. Si, a pesar de eso, la *Phalaenopsis* no diera ya flor, deberá ser colocada durante uno o dos meses en un lugar algo más fresco, unos 15 °C de temperatura. Pasado ese tiempo volverán a brotar abundantes flores nuevas.

Los racimos de flores se deben cortar, tan pronto como se hayan marchitado, a la altura de uno de los engrosamientos del tallo. A partir de este recorte volverá a brotar de nuevo y generará nuevas flores. En muchas ocasiones se forman hijuelos que se pueden dividir para obtener nuevas plantas. El género *Doritis* está muy emparentado con las *Phalaenopsis*, en muchas ocasiones se cruzan y forman híbridos muy atractivos.

 ☼ sol ☼ sol y sombra ● sombra 🌡 cálido 🌡 suave-cálido

Phalaenopsis
Sección Amboinenses

Phalaenopsis
Sección Fuscatae

Phalaenopsis
Sección Parishianae

ALTURA: 5-10 cm
ANCHO: 30-80 cm
TIEMPO DE FLORACIÓN: de mediados de primavera a mediados de otoño.

flores redondas con un núcleo blanco

Procedencia: Sudeste asiático.
Flores: flores redondas de vivos colores, la mayoría de las veces muy llamativas; poca floración.
Crecimiento: epifito; hojas muy anchas, de color verde claro o gris brillante, sin manchas; casi siempre forma varios cortos racimos colgantes hasta un máximo de 50 cm.
Cultivo: semisombra; por el día por lo menos de 18 a 20 °C, por las noches al menos 16 °C; cultivo en maceta o cesta; no se dejará secar del todo, trasplantar cada dos años; sin fase de descanso; en la punta del racimo puede seguir la floración, por lo que habrá que cortar los racimos marchitos que estén secos del todo; nunca se debe dejar al aire libre en verano.
Variedades: *Phalaenopsis amboinensis:* de blanca a amarilla, con dibujos marrones, *P. gigantea* (ver ilustración): de blanca a amarilla con más o menos manchas marrones, *P. venosa:* amarilla con manchas de marrón intenso y una zona central blanca.
Híbridos: *P. venosa* y *P. amboinensis* transmiten como herencia flores amarillas con un centro blanco; el cultivo ha eliminado la escasa floración y la palidez del color de sus flores.

ALTURA: 15-20 cm
ANCHO: 30-50 cm
TIEMPO DE FLORACIÓN: de mediados de primavera a finales de verano.

labelos muy llamativos

Procedencia: Sudeste asiático.
Flores: escasas, la mayoría son pequeñas con marcados dibujos sobre un fondo color amarillo crema, se agrupan en cortos racimos; tépalos bastante retorcidos y labelos con forma de cuchara, sin apéndice; varios racimos.
Crecimiento: epifito; hojas carnosas y la mayoría de un color verde oscuro; tienden a formar hijuelos.
Cultivo: igual que el de la sección *Amboinenses* (ver la ficha anterior).
Variedades: *Phalaenopsis cochlearis:* beis, dibujos muy suaves, labelos rayados, *P. fuscata:* beis y verde con fuertes dibujos marrones en el centro, *P. kunstleri:* beis y verde con fuertes dibujos marrones en el centro, engrosamientos en el labelo, *P. viridis* (ver ilustración): amarillo con manchas de fuerte color rojo y marrón por toda la flor.
Híbridos: muy pocos, la mayoría son híbridos primarios a partir de dos formas naturales.

ALTURA: 1-4 cm
ANCHO: 5-15 cm
TIEMPO DE FLORACIÓN: de finales de invierno a finales de primavera.

labelos anchos y llamativos

Procedencia: Sikkim, Assam, Burma.
Flores: pequeñas flores de un tamaño de dos centímetros, de color blanco y crema con llamativos labelos marrones, amarillos o morados; largos racimos de hasta 15 cm con cuatro u ocho flores, casi siempre se abren varias a la vez; con varios tallos.
Crecimiento: epifito; tamaño muy pequeño; hasta cuatro hojas sin manchas con un máximo de 12 cm de longitud.
Cultivo: semisombra; precisa de algunos cuidados; por el día como mínimo de 18 a 20 °C, por las noches al menos 16 °C; cultivo en maceta o en bloque; nunca se deben dejar secar del todo, gustan de la humedad; en el caso de temperaturas muy bajas se deshacen de las hojas, que luego vuelven a brotar; sin fase de descanso.
Variedades: *Phalaenopsis lobbii* (ver ilustración, sin. *P. parishii* var. *lobbii*): blanca, labelo morado.
Híbridos: existen numerosas *miniphalaenopsis* sobre la base de la *P. parishii* y *P. lobbii*. La más conocida es la *P. Mini Mark*: tiene muchos racimos y es aún más pequeña que la *P. equestris* y la *P. lindenii*.

Phalaenopsis
Sección Phalaenopsis

Phalaenopsis
Sección Polychilos

Phalaenopsis
Sección Stauroglottis

ALTURA: 10-15 cm
ANCHO: 30-60 cm
TIEMPO DE FLORACIÓN: durante todo el año, sobre todo de finales de invierno a finales de primavera.

racimos muy bonitos

Procedencia: Sudeste asiático, Australia.
Flores: gran floración, apéndice en forma de estandarte en el labelo. Pétalos más anchos que los sépalos; racimos bastante delgados, largos y en parte ramificado.
Crecimiento: epifito; planta grande; en parte con hojas de un bello veteado.
Cultivo: semisombra; por el día como mínimo de 18 a 20 °C, por las noches al menos 16 °C, es importante un descenso nocturno de la temperatura no inferior a 4 °C; trasplantar cada dos años; sin fase de descanso; los racimos marchitos se deben cortar en un engrosamiento que está a la altura central.
Variedades: *Phalaenopsis amabilis, P. aphrodite*: ambas blancas, *P. philippinense*: blanca con labelo amarillo, *P. sanderiana*: rosada, *P. schilleriana* (ver ilustración): rosa, *P. stuartiana*: blanca con puntos.
Híbridos: son la base de la mayoría de los cruces; flores delicadas y grandes; por la vía de la *P. stuartiana* se han heredado los puntos del labelo y los sépalos laterales; La *P. schilleriana* es la madre de todas las de color rosa, la *P. amabilis* y la *P. aphrodite* son madres de todas las *Phalaenopsis* de color blanco.

ALTURA: 5-10 cm
ANCHO: 15-30 cm
TIEMPO DE FLORACIÓN: de mediados de primavera a mediados de otoño.

flores con forma de estrella

Procedencia: Sudeste asiático.
Flores: escasa floración; flores en forma de estrella, carnosas y céreas con labelos anchos y sobresalientes; racimos cortos, de hasta 40 cm en parte ramificados.
Crecimiento: epifito; hojas de 20 a 40 cm de longitud, sin manchas, la mayoría de las veces de color verde claro, en parte retorcidas en la punta; tiende a la formación de hijuelos.
Cultivo: semisombra; por el día como mínimo de 18 a 20 °C, por las noches al menos 16 °C; cultivo en maceta, cesta o bloque; no dejar secar, cada dos años cambiar de maceta; sin fase de descanso; no cortar los racimos, ya que mientras que estén verdes pueden seguir rebrotando en la punta; en verano no deben quedarse al aire libre.
Variedades: *Phalaenopsis cornucervi* (ver ilustración): verde amarillento con dibujos marrones, tallos anchos y planos, *P. manii*: amarillenta con dibujos marrones.
Híbridos: se utiliza en raras ocasiones para conseguir híbridos, a pesar de que la resistencia de sus flores la haría muy adecuada para ese proceso; existen algunos híbridos primarios de gran belleza.

ALTURA: 5-10 cm
ANCHO: 20-40 cm
TIEMPO DE FLORACIÓN: todo el año, con preferencia de finales de invierno a finales de primavera.

muchas flores pequeñas

Procedencia: Filipinas, Indonesia.
Flores: abundantes y pequeñas, pétalos y sépalos casi igual de grandes, labelos sin apéndice.
Crecimiento: epifito; las hojas tienen un máximo de 20 cm de largo y 6 cm de ancho; según la variedad las hojas pueden ser verdes, gris plata o con vetas; tienden a la formación de hijuelos.
Cultivo: semisombra; por el día como mínimo de 18 a 20 °C, por las noches al menos 16 °C; cultivo en maceta o en cesta; cada dos años cambiar de maceta; sin fase de descanso; los racimos marchitos se cortan a la altura de un engrosamiento situado en la zona central; en verano no deben quedarse al aire libre.
Variedades: *Phalaenopsis celebensis*: blanca con dibujos rosas y marrones, *P. equestris* (ver ilustración): rosa o blanca/rosa con labelos de color rosa oscuro, *P. lindenii*: blanca con rayas bastante marcadas en el labelo.
Híbridos: *P. equestris* y *P. lindeii* han heredado el pequeño tamaño y la facilidad de formación de flores color rosa y labelos rojos o rayados sin apéndice en forma de estandarte.

 sol sol y sombra sombra cálido suave-cálido

Phalaenopsis
Sección Zebrinae, subsección
Zebrinae, Glabrae, Hirsutae

Phalaenopsis
Sección Zebrinae, subsección
Lueddemannianae

Doritis

ALTURA: 5-10 cm
ANCHO: 30-50 cm
TIEMPO DE FLORACIÓN: de mediados de primavera a mediados de otoño.

florece hasta cuatro meses

Procedencia: Sudeste asiático.
Flores: flores de abundante colorido, en forma de estrella, brillantes, céreas, distribuidas en varios racimos pequeños, con marcados dibujos; claramente pilosas, labelos redondeados sin apéndice; mucha floración y en numerosos racimos.
Crecimiento: epifito; la mayoría de las veces hojas muy pequeñas pero anchas de un color verde claro, sin dibujos, en ocasiones algo onduladas pues no son muy carnosas; forma hijuelos.
Cultivo: como en la sección *Amboinenses* (ver página 101).
Variedades: *Phalaenopsis bastianii* (ver ilustración): beis con fuertes manchas color marrón rojizo, *P. maculata*: beis con manchas aisladas de color rojizo, *P. modesta*: beis con dibujos más o menos fuertes de color rojo, *P. sumantra*: amarillo con manchas color marrón oscuro, *P. tetraspis*: blanca, en parte con rayas ligeras de color marrón rojizo.
Híbridos: son muy escasos, la mayoría de las veces híbridos primarios a partir de dos formas naturales.

ALTURA: 5-10 cm
ANCHO: 30-50 cm
TIEMPO DE FLORACIÓN: de mediados de primavera a mediados de otoño.

flores terminadas en punta

Procedencia: Sudeste asiático.
Flores: flores de abundante colorido, en forma de estrella, brillantes, céreas, distribuidas en varios racimos pequeños, con marcados dibujos; labelos redondeados sin apéndice, la placa delantera del labelo no tiene pelos, sino engrosamientos; todas las clases producen muchos racimos, son de poca floración.
Crecimiento: epifito; planta grande; hojas verdes y carnosas; intensa producción de hijuelos.
Cultivo: como en la sección *Amboinenses* (ver página 101).
Variedades: *Phalaenopsis bellina* (sin. *P. violacea* tipo Borneo): verde y beis con interior blanco y marcados dibujos de color rojo amoratado en el centro, *P. hieroglyphica* (sin. *P. lueddemanniana* var. *hieroglyphica*): beis con dibujos marrón rojizos, *P. lueddemanniana*: beis con intensas manchas de color marrón rojizo, *P. pulchra* (sin. *P. lueddemanniana* var. *pulchra*): rojo amoratado con alas del labelo amarillas, *P. violacea* tipo *Malaya* var. *alba* (ver ilustración): parte exterior verde y beis, en el interior rojo amoratado.
Híbridos: esta subsección es la base para todas las *Phalaenopsis* de racimo corto con flores céreas.

ALTURA: 10-20 cm
ANCHO: 15-20 cm
TIEMPO DE FLORACIÓN: de mediados de primavera a mediados de otoño.

racimos muy erguidos

Procedencia: Sudeste asiático.
Flores: flores de 3 a 4 cm de tamaño, la mayoría de las veces con un tono de rosa a rojo, los racimos crecen en vertical y en ocasiones se ramifican; se abren al mismo tiempo varias flores y cuando se marchitan las inferiores, arriba crecen nuevos brotes, de tal modo que el racimo vertical puede alcanzar los 60 cm de altura.
Crecimiento: epifito; planta grande; de seis a ocho hojas; suele formar tallos laterales.
Cultivo: de semisombra a sol; los racimos se deben atar, pues se hacen demasiado largos; en general se sigue el mismo cultivo que en la sección *Amboinenses* (ver página 101).
Variedades: *Doritis pulcherrima* (ver ilustración): flores rosas pequeñas con cuello blanco y labelos laterales color marrón, *D. pulcherrima* var. *alba*: blanca, *D. pulcherrima* var. *coerulea*: azulada, *D. esmeralda* y *D. buyssoniana* son juegos de color de la *D. pulcherrima*; el resto de las plantas no pueden ser identificadas como especies independientes.
Híbridos: la *D. pulcherrima*, debido a su color, se cruza en muchas ocasiones con *Phalaenopsis*, pues no transmiten como herencia las flores pequeñas pero sí la coloración roja.

 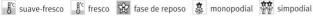

Vanda y géneros próximos

Las *Vanda* y sus géneros próximos son todas hijas del sol: estas bellezas tropicales precisan de mucho calor y también pueden soportar algo los rayos solares intensos, cosa poco habitual en las orquídeas.

Las orquídeas *Vanda* son muy conocidas por sus enormes flores azules. El espectro de colores de este elegante género es inagotable: rojas, amarillas, anaranjadas, rayadas y de todos los tamaños, grandes y pequeños. Esa es la causa del entusiasmo de sus devotos.

Además de su colorido, también resulta fascinante la variedad de formas de las flores. Pueden ser redondas o estrelladas y en ocasiones llevan claros hijuelos. Lo común de las plantas de esta familia es su crecimiento de tipo monopodial. Las *Vanda* y sus parientes no solo sorprenden por la rica variedad de sus flores, sino también porque pueden ser objeto de muy diversas formas de cultivo. Algunas de estas epifitas también crecen en maceta, pero las *Vanda* y sus híbridos, como la *Ascocenda*, no arraigan bien en sustrato. Lo mejor es cultivarlas en cesta o bien sujetas en un cultivo en bloque. Pero dado que las raíces, bastante gruesas y colgantes, necesitan mucha más humedad ambiental en este cultivo, es inexcusable pulverizarlas con agua todos los días. Si no se tiene la posibilidad de cultivo, en cesta o atadas, con la adecuada humedad del aire, se puede probar con un método nuevo y original: las *Vanda* se pueden colocar en un envase de cristal en el que haya unos pocos centímetros de agua (ver página 36). Si se añade de forma regular un poco de abono al agua, el desarrollo será espléndido. Para cultivarlas es importante utilizar escaso abono y un agua poco caliza para el riego, ya que no hay sustrato que pueda compensar los factores desfavorables. Lo ideal para vaporizarlas es el agua de lluvia. Además, tienen en común otra particularidad: soportan la luz solar como no lo hace casi ninguna otra orquídea. Si reciben bastante luz pueden formar hasta tres racimos de flores al año, pero tampoco soportan bien el sol directo. Todos los géneros se cultivan en temperaturas que van de cálidas a suaves.

Los híbridos de Vanda *atraen por su gran variedad y el espléndido color de sus flores.*

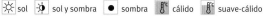

☼ sol   ☼ sol y sombra   ● sombra   🌡 cálido   🌡 suave-cálido

Vanda

Aerides

Ascocentrum

ALTURA: 20-50 cm
ANCHO: 40-60 cm
TIEMPO DE FLORACIÓN: de mediados de primavera a mediados de otoño.

azul intenso

Procedencia: Sudeste asiático.
Flores: flores muy grandes y redondeadas con colorido muy intenso; abundante floración.
Crecimiento: epifito; planta grande; excepto las de pequeño tamaño, las demás suelen ser bastante altas, muy saliente, hojas firmes.
Cultivo: soleado; por el día como mínimo de 18 a 20 °C, por las noches de 14 a 16 °C; cultivo sin sustrato en cesta o en bloque, va muy bien con cultivo en cristal; en el caso de cultivo en cesta o en bloque hay que tener en cuenta una elevada humedad del aire y una vaporización periódica; sin fase de descanso; una vez que se hayan marchitado, cortar los racimos hasta la base; no precisa emplazamiento de verano.
Variedades: *Vanda coerulea* (ver ilustración): blanca/azul, *V. coerulescens:* azulada, pequeño crecimiento, *V. cristata:* multicolor, *V. rothschildiana:* blanca/azul, *V. tricolor:* multicolor, *V. sanderiana* (también conocida como *Euanthe*): multicolor.
Híbridos: debido a su tamaño la *Ascocenda* (*Vanda* × *Ascocentrum*) es preferible a la *Vanda* pura: tiene flores tan grandes como las de la *Vanda* y un gran número de ellas.

ALTURA: 20-40 cm
ANCHO: 30-50 cm
TIEMPO DE FLORACIÓN: de principios de primavera a finales de verano.

intensa combinación de colores

Procedencia: Sudeste asiático.
Flores: flores céreas, colores fuertes; la mayoría de las veces olorosas; hijuelos fuertes y cortos; soportes florales largos y algo colgantes, de larga floración.
Crecimiento: epifito; brotes más o menos cubiertos de hojas, hojas gruesas y carnosas.
Cultivo: soleado; por el día como mínimo de 18 a 20 °C, por las noches de 14 a 16 °C; posibilidad de cultivo en maceta, pero es mejor hacerlo en cesta con una elevada humedad del aire, carbón vegetal puro o trozos de corcho; también se cultiva en bloque con elevada humedad del aire, progresa muy bien en cultivo en cristal; sin fase de descanso; una vez que se hayan marchitado, cortar los racimos hasta la base; en verano colocar al aire libre.
Variedades: *Aerides fieldingii* (ver ilustración): rosa, en ocasiones con puntos blancos, *A. lawrenceana:* blanca/púrpura, *A. multiflorum:* rosa-rojo/blanca, *A. odorata:* rosa/violeta.
Híbridos: híbridos de género, los más habituales con *Ascocentrum* (*Aeridocentrum*) y *Vanda* (*Aeridovanda*): la mayoría de las veces de larga floración, olorosas; también híbridos dentro del género.

ALTURA: 20-40 cm
ANCHO: 30-40 cm
TIEMPO DE FLORACIÓN: de principios de primavera a mediados de verano.

manojos de flores

Procedencia: Sudeste asiático.
Flores: manojos de flores pequeñas de intenso colorido; racimos erguidos con muchas flores; florece bien.
Crecimiento: epifito; hojas largas colocadas una sobre otra con la punta recortada y más o menos dentada.
Cultivo: como en el caso de la *Vanda*.
Variedades: *Ascocentrum ampullaceum* (ver ilustración): de rosa a roja, *A. curvifolium:* de naranja a roja, *A. christensonianum:* rosa, *A. miniatum:* naranja.
Híbridos: muchos híbridos con *Vanda*, de ellos resulta una *Ascocenda* con grandes flores y crecimiento pequeño; otros híbridos: *Ascofinetia* (con *Neofinetia*), *Mokara* (con *Arachnes* y *Vanda*): *Nakamotoara* (*Ascocentrum* × *Neofinetia* × *Vanda*) o bien *Vascostylis* (*Ascocentrum* × *Vanda* × *Rhynchostylis*).

 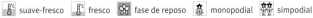

| Neofinetia | Renanthera | Rhynchostylis |

ALTURA: 10-15
ANCHO: 15-20 cm
TIEMPO DE FLORACIÓN: de principios de primavera a mediados de verano.

hijuelos más largos que las flores

Procedencia: Este de Asia.
Flores: parecidas a las *Angraecum*, blancas con un claro hijuelo en un tallo corto con varias flores; existe una variedad rosa con grandes flores.
Crecimiento: epifito; crecimiento escaso; parecido al crecimiento de la *Ascocentrum*; hojas largas situadas una sobre otra con punta recortada y poco dentada.
Cultivo: soleado; por el día mejor como mínimo de 18 a 20 ºC, por las noches de 14 a 16 ºC; posibilidad de cultivo en maceta, mejor cultivo en bloque con o sin base de musgo según la humedad del aire, ya que las plantas no suelen enraizar bien en sustrato; se recomienda un cultivo en la repisa de la ventana y en cristal; sin fase de reposo; los racimos marchitos se cortan a la altura de la base; en verano no se debe colocar en el exterior.
Variedades: solo una variedad: *Neofinetia falcata* (ver ilustración): blanca.
Híbridos: debido a su escaso crecimiento en muchas ocasiones se hibrida con *Vanda* y *Ascocentrum*, los cruces con *Angraecum* no suelen dar buenos resultados.

ALTURA: 20 cm hasta más de 1 m
ANCHO: 30-50 cm
TIEMPO DE FLORACIÓN: finales de primavera a mediados de otoño.

colores fuertes, grandes labelos

Procedencia: Sudeste asiático.
Flores: flores con forma de estrella, abundantes y pequeñas, colores muy intensos; racimos largos y en parte ramificados; por desgracia es algo perezosa para florecer.
Crecimiento: epifito; fuerte crecimiento; para ser una orquídea monopodial la distancia de hoja a hoja es bastante grande, por lo que las plantas llegan a ser muy altas; hojas sobresalientes, firmes y estrechas.
Cultivo: soleado; por el día como mínimo de 18 a 20 ºC, por las noches de 14 a 16 ºC; si el sustrato es ligero se recomienda un cultivo en cesta, ya que las raíces precisan de mucho más aire del que puede obtener en un cultivo en bloque; sin fase de reposo; los racimos marchitos se cortan a la altura de la base; en verano no se debe colocar en el exterior.
Variedades: *Renanthera citrina*: amarilla, *R. imschootiana*: rojo oscuro, *R. monachica* (ver ilustración): amarilla/naranja, con manchas rojas.
Híbridos: la mayoría solo dentro del mismo género, pocos híbridos de género, entre otros con la *Phalaenopsis*; las flores aisladas son de gran belleza, pero no siempre se transmite bien la herencia de la estructura de los racimos y la facilidad de la floración.

ALTURA: 20-40 cm
ANCHO: 30-60 cm
TIEMPO DE FLORACIÓN: mediados de verano a mediados de otoño.

mucha floración, hojas llamativas

Procedencia: Sudeste asiático.
Flores: colores vivos, mucha floración, la mayoría de las veces en racimos cortos.
Crecimiento: epifito; hojas planas colocadas una sobre otra, muy fuertes; planta de gran crecimiento, las clases se diferencian entre sí solo por el aspecto exterior; raíces muy fuertes.
Cultivo: soleado; por el día como mínimo de 18 a 20 ºC, por las noches de 14 a 16 ºC; la temperatura nocturna no puede bajar de los 16 ºC, es muy útil realizar una fase más fresca que dure de uno a dos meses; de lo contrario cultivo como la *Renanthera*.
Variedades: *Rhynchostylis coelestis*: blanca/azul claro, *R. gigantea* (ver ilustración): blanca, con manchas rosas, *R. retusa*: rosa con manchas oscuras, *R. violacea*: rosa.
Híbridos: dentro del género existen pocos híbridos, pero se dan muchos híbridos de género de colores impresionantes: *Rhynchovanda* (x *Vanda*), *Rhynchoicentrum* (x *Ascocentrum*), *Vascostylis* (x *Ascocentrum* x *Vanda*).

 sol sol y sombra sombra cálido  suave-cálido

Sarcochilus

ALTURA: 10-15 cm
ANCHO: 10-15 cm
TIEMPO DE FLORACIÓN: finales de verano a mediados de invierno.

racimos muy erguidos

Procedencia: Sudeste asiático.
Flores: flores casi redondas de formas poco habituales que se encuentran agrupadas en racimos erguidos; muchos tallos.
Crecimiento: epifito; poco crecimiento y muy lento; las hojas están asentadas unas sobre otras, follaje muy duro.
Cultivo: soleado; por el día como mínimo de 18 a 20 °C, por las noches de 14 a 16 °C; lo mejor es un cultivo en maceta pero también hay posibilidad de hacerlo en bloque; crece de forma muy lenta; sin fase de reposo; cortar los racimos marchitos a la altura de la base; desde mediados de primavera hasta finales de verano puede estar al aire libre, pero no es obligatorio este emplazamiento de verano.
Variedades: *Sarcochilus ceciliae*: rosa, *S. fitzgeraldii*: blanco/con manchas marrones, *S. hartmannii*: blanco/con manchas marrones, *S. rosea* (ver ilustración): rosa.
Híbridos: dentro del género la combinación más conocida es *S. fitzgeraldii* × *hartmannii* para conseguir el híbrido *Fitzhart*.

OTROS GÉNEROS PRÓXIMOS

Nombre	Información	Flores/ Crecimiento	Peculiaridades
Amesiella		racimos cortos, flores bastante grandes, blancas y aterciopeladas; crecimiento como la *Phalaenopsis*	crecimiento pequeño y muy lento; cultivo en maceta pero también posibilidad de cultivo en bloque
Chiloschista		flores pequeñas y redondeadas, con puntos amarillos, blancos, verdes o marrón oscuro; solo en raras ocasiones con hojas	escaso crecimiento; únicamente se cultiva sujeta; también soporta los días secos
Gastrochilus		racimos cortos, numerosas flores amarillas o anaranjadas; crecimiento como la *Phalaenopsis*	escaso crecimiento; mucha floración; cultivo como la *Phalaenopsis*; también se puede cultivar atada
Haraella		flores bastante grandes, amarillas con manchas negras en el centro; crecimiento como las *Phalaenopsis* muy pequeñas	escaso crecimiento; lo mejor es cultivarlas sujetas, también es posible el cultivo en maceta
Saccolabium		racimos cortos pero con muchas flores pequeñas; hojas planas algo curvadas, tallos estirados	escaso crecimiento; lo mejor es un cultivo atado; también es posible cultivo en maceta
Sedirea		racimos cortos pero con muchas flores pequeñas; tallos estirados con hojas curvadas	escaso crecimiento; cultivo como la *Phalaenopsis*, pero es propensa al ataque de la cochinilla algodonosa
Trichoglottis		flores de alegres colores pero, a excepción de la *T. philippinensis*, algo pequeñas, se asientan directamente en el tallo	crecen considerablemente, por lo que deben ser atadas; necesitan mucha luz pero nunca sol directo
Vandopsis		racimos erguidos con flores amarillas y rojas; follaje grande y fuerte	gran crecimiento; cultivo como la *Rhynchostylis*, debido a su tamaño no es muy adecuada para poner en la repisa de la ventana

Angraecum y géneros próximos

Estas orquídeas suelen proceder de África tropical, Madagascar e islas Comores

	Nombre	Información	Flores/ Crecimiento	Cultivo	Clase (tiempo de floración en meses)	Híbridos
	Angraecum		flores que la mayoría de las veces son de color beis/blanco y en forma de estrella, claros hijuelos; crecimiento muy diverso, las hojas están ranuradas en su extremo	crece muy bien con calor, pero con un cultivo de clima suave lo hacen con mayor fuerza; las clases más pequeñas crecen atadas adecuadamente	*Angraecum calceolus* (3-6), *A. eichlerianum* (7-11), *A. distichum* (7-10), *A. ruthenbergianum* (3-6), *A. sesquipedale* (2-4)	pocos; el más conocido: *Angraecum veitchii* a partir de *A. eburneum* × *A. sesquipedale*
	Aerangis		flores en forma de estrella, la mayoría de las veces blanca, hijuelos claros y cortos; racimos colgantes con muchas flores; de crecimiento bastante reducido	sustrato con buen drenaje; en el caso de noches frescas forman muchos racimos pequeños; atar con el método de sándwich	*Aerangis biloba* (4-7), *A. kotschyana* (9-11), *A. mooreana* (9-12), *A. rhodosticta* (6-10)	poco conocidos, la mayoría híbridos primarios con flores bastante más grandes
	Aeranthes		extravagantes, de beis a verdes, tallos florales largos y en forma de estandarte, tallos cortos, hojas de color verde grisáceo	cultivo en maceta, la *A. henricii* prospera bien estando sujeta; cortar los racimos una vez que se hayan marchitado	*Aeranthes arachnitis* (6-10), *A. grandiflora* (6-10), *A. henricii* (3-6), *A. ramosa* (6-10)	algunos híbridos crecen mejor; se obtienen híbridos de *Aerangis* y *Angraecum*
	Angraecopsis		muchas flores pequeñas en racimos con forma de estandarte; escaso crecimiento con hojas alargadas, muchas ramas	muy sencillo; las grandes plantas necesitan una maceta grande que tenga buen drenaje; también crecen sujetas	*Angraecopsis gracillima* (7-10)	no conocidos
	Cyrtorchis		flores con forma de estrella triangular, blancas y beis, muchas flores en racimos cortos; aroma algo dulzón; crece de forma parecida a las *Vanda*	cultivo como la *Angraecum*; debido a su tamaño prosperan muy bien estando sujetas	*Cyrtochis arcuata* (9-12), *C. hamata* (9-12), *C. praetermissa* (9-12)	no conocidos
	Jumellea		tallos cortos con una o dos flores en forma de estrella, de color blanco; cortos tallos con hojas salientes	cultivo como la *Angraecum*; nunca en maceta demasiado grandes; es importante alternar entre sequía y humedad	*Jumellea comorensis* (2-4), *J. fragans* (2-4), *J. sagittata* (3-6)	no conocidos

 sol sol y sombra ● sombra cálido  suave-cálido

Bulbophyllum y *Coelogyne*

Bulbophyllum y géneros próximos: las casi 1.000 especies distintas se encuentran en Asia, Australia, África y Sudamérica. Entre ellas hay muchas orquídeas de escaso crecimiento, pero también existen plantas muy grandes.

	Nombre	Información	Flores/Crecimiento	Cultivo	Clase (tiempo de floración en meses)	Híbridos
	Bulbophyllum		variedad de formas y colores de las flores; diversidad de tamaños; bulbos marcados la mayoría de las veces redondos	gran crecimiento con muchos tallos, por lo que es mejor el cultivo en bloque y cesta; también aguanta bien en lugares que sean muy luminosos	*Bulbophyllum blumei* (3-5), *B. falcatum* (3-6), *B. graveolens* (7-10), *B. phalaenopsis* (5-6 y 8-10)	algunos híbridos de gran belleza, la mayoría crecen y florecen bien; los cruces con *Cirrhopetalum* se denominan *Cirrhophyllum*.
	Cirrhopetalum		racimos con varias flores, forma de umbela muy pequeños; la mayoría de las veces bulbos redondos con una o dos hojas	gran crecimiento con muchos tallos, por lo que es mejor el cultivo en bloque y cesta; también aguanta bien en lugares que sean muy luminosos	*Cirrhopetalum macroleum* (2-5), *C. medusae* (10-12), *C. rothschildianum* (4-6), *C. umbelatum* (8-10)	algunos híbridos de gran belleza, la mayoría crecen y florecen bien; los cruces con *Bulbophyllum* se denominan *Cirrophyllum*

Coelogyne y géneros próximos: las *Coelogyne* en ocasiones tienen grandes flores en racimos colgantes, *Dendrochilum* con muchas flores independientes que pasan desapercibidas, *Pleione* en comparación con los bulbos, tienen unas enormes flores.

	Nombre	Información	Flores/Crecimiento	Cultivo	Clase (tiempo de floración en meses)	Híbridos
	Coelogyne		habitualmente blancas o blancas/beis, labelos amarillos aunque también verdes; bulbos de muy diversos tamaños, de una a dos hojas	buscar información sobre el intervalo de temperaturas del cultivo; en el caso de racimos colgantes utilizar cultivo en cesta, de lo contrario cultivo en maceta	*Coelogyne cristata* (1-3), *C. dayana* (4-9), *C. fimbriata* (8-10), *C. flaccida* (3-6), *C. massangeana* (1-12), *C. ochracea* (4-6)	solo son conocidos algunos híbridos
	Dendrochilum		racimos abundantes normalmente retorcidos con muchas flores independientes que pasan desapercibidas: hojas finas, crecimiento arbustivo	crece muy rápido a lo ancho; mantener húmeda durante la formación de nuevos retoños; elevada humedad ambiental	*Dendrochilum cobbianum* (5-10), *D. filiforme* (5-8), *D. glumaceum* (3-4), *D. wenzelii* (2-4)	no conocidos
	Pleione		flores muy grandes en forma de estrella, alegres colores, labelos en forma de tubo coloreados de otra forma; las hojas se caen antes que las flores	sustrato permeable de humus, cambiar de maceta todos los años; en invierno colocar en un lugar seco y a salvo de heladas	*Pleione formosana* (2-4), *P. forrestii* (3-5), *P. imprichtii* (3-5), *P. yunnanensis* (2-4)	muy bonitos cruces dentro del mismo género; flores grandes y coloridas

Cymbidium y Lycaste

Cymbidium y géneros próximos: un grupo con flores de alegre colorido. Los híbridos *Cymbidium* son, como orquídea cortada, muy conocidos debido a sus enormes flores, las *Ansellia* son muy satisfactorias por su abundante floración, las *Galeandra* tienen unas magníficas flores.

Nombre	Información	Flores/ Crecimiento	Cultivo	Clase (tiempo de floración en meses)	Híbridos
Cymbidium		flores grandes y redondas con intensos colores en racimos erguidos o bien flores marrones en racimos colgantes, mucha resistencia	necesitan de un prolongado emplazamiento de verano para la formación de flores; en la fase de crecimiento regar y abonar mucho	*Cymbidium atropurpureum* (3-7), *C. devnianum* (4-6), *C. erythrostylum* (9-11) , *C. insigne* (2-6), *C. tigrinum* (3-6)	sin híbridos de género; la mini *Cymbidium* como planta de maceta o bien con racimos colgantes para cultivo en cesta
Ansellia		flores amarillas con puntos marrones más o menos intensos; bulbos largos y fuertes con pocas hojas	planta grande y con mucha floración, si por el día hace calor, necesita más agua; mucho abono y luz	*Ansellia africana* (3-11), *A. exotica* (sin. *A. africana* var. *alba* 3-11, verdosa amarilla), *A. nilotica* (3-11)	no son conocidos, posibilidad de híbridos de género con *Cymbidium* (*Ansidium*)
Galeandra		labelos grandes con forma de embudo, de tres a cinco flores; bulbos estilizados, hojas color gris verdoso; muy compactas	elevadas temperaturas y humedad en la fase de crecimiento, en invierno regar de forma escasa	*Galeandra baueri* (7-10), *G. batemannii* (7-10), *G. devoniana* (3-5)	híbridos muy interesantes pero difíciles de obtener; híbridos de género con *Ansellia*, *Mormodes*, *Catasetum*

Lycaste y géneros próximos: las *Lycaste* y sus híbridos llaman la atención por sus extravagantes flores. De las 300 clases distintas de *Maxillaria* algunas son muy coloridas y con abundantes flores, otras esconden sus flores entre el follaje.

Nombre	Información	Flores/ Crecimiento	Cultivo	Clase (tiempo de floración en meses)	Híbridos
Lycaste		flores bastante grandes, colores fuertes, pétalos en forma de tubo; los bulbos se deshacen de las hojas después de la formación de los tallos	cultivo en maceta; regar y abonar mucho; en la fase de reposo no dejar secar demasiado ni mantener muy húmedas	*Lycaste aromatica* (pequeña; 3-6), *L. consobrina* (2-5), *L. lasioglossa* (3-6), *L. macrophylla* (5-8), *L. skinneri* (5-7)	muchos híbridos de gran crecimiento con grandes y coloridas flores; híbridos de género la mayoría de las veces con *Anguloa* y *Angulocaste*
Maxillaria		flores triangulares de distinto tamaño ocultas por debajo del follaje; muchos bulbos, pocas hojas delgadas o sin bulbos	diverso; mucho aire fresco, al comprar interesarse por las necesidades de temperatura y las fases de reposo	*Maxillaria crassifolia* (6-10), *M. cucullata* (2-4), *M. picta* (10-12), *M. tenuifolia* (7-9)	no son conocidos

☼ sol ☼ sol y sombra ● sombra cálido suave-cálido

Gongora y géneros próximos

Flores excepcionales y en parte de tamaño muy grande, sin embargo, el tiempo de floración es relativamente corto. Es un espectáculo muy atractivo el desarrollo de los racimos sobre las yemas hasta que se abre la flor.

Nombre	Información	Flores/ Crecimiento	Cultivo	Clase (tiempo de floración en meses)	Híbridos
Gongora		numerosas y extravagantes flores, manojos colgantes; bulbos ovalados con surcos, una o dos hojas con muchas nervaduras	florece abundantemente con el adecuado descenso nocturno de temperatura, mantener húmeda pero sin mojar demasiado los nuevos brotes	*Gongora atropurpurea* (5-10), *G. chocoensis* (3-9), *G. galatea* (6-9), *G. quinquenervis* (4-9)	no son conocidos
Cirrhaea		muy parecida a la *Gongora* pero los manojos de flores más poblados y colgantes; el crecimiento se corresponden con el de una *Gongora* de bajo crecimiento	como la *Gongora*	*Cirrhaea dependens* (5-9), *C. longiracemosa* (5-9), *C. saccata* (8-10)	son conocidos muy pocos; híbridos de género con *Gongora* y *Stanhopea*
Coryanthes		extravagantes; bulbos sobresalientes con dos hojas y nervaduras	se desarrolla en cultivo en maceta y cesta; en la época de crecimiento tiene que estar bien abonada y regada	*Coryanthes hunteriana* (2-5), *C. macrantha* (11-1), *C. quinquenervis* (9-12), *C. especiosa* (3-7)	casi no son conocidos
Paphinia		racimos colgantes, con dos o cuatro grandes flores en forma de estrella, labelos con pilosidades; bulbos pequeños, con dos hojas	necesita macetas pequeñas, regar con frecuencia pero no mantener siempre mojada; elevada humedad ambiental	*Paphinia cristata* (8-11), *P. grandiflora* (9-12), *P. herrerae* (9-12), *P. neudeckeri* (9-12)	poco conocidos; existen híbridos de género con *Gongora*
Polycycnis		flores casi siempre rizadas o con pelos, la estructura de la columna aparece en forma de arco delante de la flor; se asemeja por su pequeño tamaño a las *Gongora*	como la *Gongora*	*Polycycnis barbata* (3-6), *P. lehmann* (9-11), *P. muscifera* (3-6), *P. pfisteri* (3-6)	no son conocidos
Stanhopea		las flores crecen verticalmente hacia abajo a través del sustrato; flores muy grandes y olorosas; bulbos en forma de huevo con una gran hoja	vaporizar con regularidad, lo mejor es un cultivo en cesta	*Stanhopea embreei* (6-9), *S. grandiflora* (7-9), *S. oculata* (6-9), *S. tigrina* (8-10), *S. wardii* (7-10)	poco conocidos

Pleurothallis y géneros próximos

Un grupo en sí mismas: la mayoría de las flores son bastante pequeñas y de formas poco habituales. Según la variedad necesitan distintas temperaturas nocturnas y son muy adecuadas para colocar en vitrinas y terrarios.

	Nombre	Información	Flores/ Crecimiento	Cultivo	Clase (tiempo de floración en meses)	Híbridos
	Pleurothallis		flores pequeñas, redondeadas y coloridas, de una o dos floraciones; la mayoría de las veces pequeña y compacta; bulbos parecidos a tallos con una hoja	elevada humedad del ambiente, aire fresco, sustrato fino, gran descenso nocturno de la temperatura; las pequeñas plantas se cultivan en bloque, las grandes en maceta	*Pleurothallis grobyi* (florecen varias veces durante el semestre de verano), *P. ionantha* (florece varias veces a lo largo del año)	excasos híbridos primarios, de gran crecimiento y con flores muy llamativas
	Dracula		flores muy parecidas a la *Masdevallia*, pero siempre colgantes, colores oscuros, con pilosidades, extravagantes; pequeño tamaño, estolones de una hoja	elevada humedad ambiental, aire fresco, sustrato fino, elevado descenso nocturno; no es adecuada para la repisa de la ventana	*Dracula chimaera* (9-12) *D. felix* (11-2), *D. mopsus* (3-6), *D. vampira* (11-2)	pocos híbridos, muy bellos; híbridos de género: *Dracuvallia* (*Dracula* × *Masdevallia*)
	Dryadella		racimos cortos, los sépalos muy picudos pero no en forma de estandarte, colores oscuros; como la *Masdevallia* de pequeño tamaño	alta humedad ambiental, aire fresco, sustrato fino, progresa en la repisa de la ventana	*Dryadella albicans* (12-2), *D. auriculigera* (11-2), *D. edwallii* (5-7), *D. lilliputana* (3-5)	no existen híbridos
	Lepanthes		flores pequeñas de alegres colores; crecimiento como la *Pleurothallis*, bulbos parecidos a tallos con una hoja algo redondeada	como la *Pleurothallis*; cultivo en bloque con el método de sándwich; también apropiada para la repisa de la ventana	*Lephantes escobariana* (11-2), *L. lindleyana* (12-2), *L. ovalis* (todo el año), *L. secunda* (12-4)	muy pocos híbridos primarios que son de mayor crecimiento que las formas naturales
	Masdevallia		colores fuertes, rayada, punteada, los sépalos evolucionan en forma de estandarte, labelos pequeños; casi siempre de pequeño tamaño, estolones de una hoja	informarse sobre el intervalo adecuado de temperaturas, elevada humedad del aire, aire fresco, sustrato fino, elevado descenso nocturno	*Masdevallia coccinea* (5-8) *M. ignea* (4-7), *M. impastor* (1-4), *M. tovarensis* (12-3)	muchos híbridos; un híbrido de género es *Dracuvallia* (*Masdevallia* × *Dracula*)
	Restrepia		muchos racimos de una sola flor, flores llamativas, pequeñas, con dibujos, labelos grandes; escaso crecimiento, compacto, bulbos finos	como la *Pleurothallis*; cultivo en bloque con el método de sándwich; crece muy bien en la repisa de la ventana	*Restrepia antennifera* (3-5), *R. dodsonii* (4-7), *R. guttulata* (11-2), *R. trichoglossa* (3-5)	se conocen muy pocos híbridos primarios; la mayoría de flores grandes y llamativas

 sol sol y sombra  sombra cálido suave-cálido

Zygopetalum y géneros próximos

Flores grandes y carnosas, en ocasiones con tonalidades azules. El tamaño de las plantas varía según los géneros. Los obtentores trabajan en muchos híbridos de género para reunir tamaño y cantidad de floración.

	Nombre	Información	Flores/ Crecimiento	Cultivo	Clase (tiempo de floración en meses)	Híbridos
	Zygopetalum (sin. Zygopetalon)		flores que a veces presentan aspecto azulado, racimos que cuelgan en parte y tienen varias flores, labelos llamativos; bulbos con hojas alargadas	raíces carnosas, por lo tanto cultivo en maceta; puede estar en lugares claros, pero no secos; mucho abono	*Zygopetalum crinitum* (6-10), *Z. intermedium* (9-1), *Z. mackaii* (10-2), *Z. maxillare* (6-8)	muchos híbridos e híbridos de género: flores grandes de alegre colorido, en parte azules, muy resistentes
	Aganisia (sin. Acacallis)		racimos que crecen lateralmente con flores dibujadas en azul; bulbos pequeños con dos hojas, crecimiento trepador	cálido, humedad del aire; debido a su crecimiento trepador progresa muy bien sujeta y es muy adecuada para vitrinas	*Aganisia cyanea* (5-7)	solo existen híbridos de género; pocas flores pero la mayoría de las veces azules
	Cochleanthes (sin. Chondrorhyncha o Warscewiczella)		hojas independientes de tallo corto, labelo en forma de embudo, en parte azulado; sin bulbos, hojas muy largas	no dejar que se seque mucho; cultivo en cesta o colgante, ya que las flores salen lateralmente de la planta	*Cochleanthes amazonica* (5-10), *C- chestertonii* (6-8), *C. discolor* (5-10), *C. marginata* (6-10)	algunos híbridos, muchos de género: gran floración compacta, florece varias veces al año
	Kefersteinia		flores rizadas y aisladas sobre tallos en forma de estandarte; crecimiento como el de la *Cochleanthes* de escaso crecimiento; sin bulbos	no dejar que se seque mucho; cultivo en cesta o colgante, ya que las flores salen lateralmente de la planta	*Kefersteinia gemma* (3-5), *K. graminea* (6-9), *K. sanguinolenta* (6-9), *K. tolimensis* (6-9)	pocos híbridos pero muy atractivos, también híbridos de género que resultan grandes y con muchas flores
	Pescatorea		grandes flores aisladas y céreas sobre tallos cortos, labelos con pilosidades o engrosamientos; sin bulbos, hojas largas	no dejar que se seque mucho; cultivo en cesta o colgante, ya que las flores salen lateralmente de la planta	*Pescatorea cerina* (9-11), *P. coronaria* (11-1), *P. dayana* (12-3), *P. lehmannii* (5-10), *P. wallisii* (3-7)	muy pocos híbridos conocidos, la mayoría muy resistentes y con intensos colores
	Promenaea		racimos cortos y colgantes de una o dos flores; sin bulbos, hojas en parte de un ligero verde grisáceo	cultivo colgante o en cesta; al regar no mojar las hojas, pues salen pequeñas manchas	*Promenaea rollinsonii* (5-8), *P. stapelioides* (7-9), *P. xanthina* (5-8)	híbridos de gran belleza, también híbridos de género; por desgracia poco extendidos

OTRAS ORQUÍDEAS

Nombre	Información	Flores	Crecimiento	Peculiaridades
Ancistrochilus	● ⌖ ✿	racimos laterales de flores beis/blancas y labelos rosados	pequeño, hasta 6 cm, bulbos en forma de huevo con una o dos hojas	gran desarrollo; sin fase de reposo; mantener bastante húmeda, pero evitar estancamiento
Bifrenaria	● ⌖ ✿	dos a tres grandes flores multicolores en tallos laterales por debajo del follaje	follaje muy duro y grande, plantas bastante grandes	olorosas; en invierno mantener frescas y en primavera más cálidas; cuidar que estén más bien secas
Calanthe	● ⌖ ✿	flores muy suaves en racimos erguidos; casi siempre blancas, rosadas o rojas	bulbos fuertes, follaje grande, se cae antes que la flor	larga floración; no mantener con exceso de frío; los bulbos pueden ser cultivados después de la floración
Capanemia	● ⌖ ✿	muchas flores blancas, crema o verdes en racimos colgantes	de muy escaso desarrollo, solo unos 4 cm	pequeño tamaño; cultivo en bloque con mucha humedad del aire o bien en maceta con un sustrato muy esponjoso
Catasetum	☀ ⌖ ✿	flores casi redondas en color blanco, verde y amarillo con o sin manchas rojas	hojas en raras ocasiones. Los racimos crecen desde el centro del cepellón	corto tiempo de floración; lo mejor es cultivarla en bloque, muy apropiada para vitrinas; abonar poco
Cycnoches	☀ ⌖ ✿ ✿	extravagantes flores de dos colores, la mayoría de las veces en racimos colgantes; en parte el labelo está orientado hacia arriba	bulbos fuertes que durante o tras la floración se deshacen de sus hojas grandes	en invierno dos meses de pausa de reposo y, una vez que la planta vuelva a brotar, regar y abonar más
Cymbidiella	☀ ⌖ ✿	colores muy intensos, verdes con dibujos negros y labelo rojo	gran desarrollo; bulbos estilizados, hojas largas y delgadas	en verano a alta temperatura, en invierno las flores precisan temperaturas más bajas
Disa	● ⌖ ✿	grandes flores en vivos colores, racimos erguidos: rosas, amarillos o de rojo intenso	orquídeas terrestres, en forma de roseta, crecimiento herbáceo	sustrato a base de turba blanca con arena de cuarzo, agua pobre en sal, abonar poco
Epigeneium	● ⌖ ✿	flores de un color o bien coloridas con forma de estrella, una o dos floraciones	bulbos pequeños y largos con una o dos hojas; en parte rizomas muy largos	precisan muchos cuidados; emparentada con Dendrobium; muy apta para cultivo en bloque
Eria	☀ ◑ ● ⌖ ⌖ ✿	hijuelo corto, flores de tamaño muy pequeño a mediano, de una a dos floraciones, los racimos o las flores están ocultas en el follaje	suele tener hojas largas y delgadas sobre pequeños bulbos redondeados	clases muy distintas; variable en cultivo y tamaño; al comprar preguntar por los requerimientos de la planta
Eurychone	● ⌖ ✿	flores blancas o rosadas, garganta básicamente negra, racimos cortos	hojas de color verde oscuro, algo onduladas y con algunos dibujos: crecimiento horizontal	pequeño desarrollo; crece adecuadamente en maceta y sujeta; es poco habitual pues es difícil de cuidar
Habenaria	● ⌖ ✿ ✿	racimos erguidos con muchas flores en parte muy extravagantes, intenso colorido	hojas en forma de roseta sobre tubérculos subterráneos, terrestres	sustrato: turba blanca con arena de cuarzo; no dejar secar pero tampoco mantener una humedad constante

 ☀ sol sol y sombra sombra ⌖ cálido ⌖ suave-cálido

OTRAS ORQUÍDEAS

Nombre	Información	Flores	Crecimiento	Peculiaridades
Huntleya	● 🌡 🌿	con tallos cortos que sobresalen lateralmente de la planta	sin bulbos; hojas planas; muchas raíces	elegir grandes macetas para las plantas, nunca dejar secar del todo
Ludisia	● 🌡 🌿	racimos erguidos, pequeñas flores blancas con un punto amarillo en el centro	orquídea de hoja, hojas en forma de roseta, aterciopeladas con nervaduras de color dorado	terrestre; utilizar agua de lluvia para el riego, de lo contrario las nervaduras de las hojas no resaltarán
Macodes	● 🌡 🌿	flores no llamativas, de color marrón, pequeñas; racimos erguidos	orquídea de hoja, hojas en forma de roseta, aterciopeladas verdes o rojas con nervaduras de color dorado	abonar de forma escasa, utilizar agua de lluvia, sustrato fino, mantener siempre húmeda pero sin exagerar
Macradenia	● 🌡 🌿	manojos colgantes con muchas flores de mayor o menor tamaño	bulbos planos delgados con solo una hoja alargada terminada en punta	planta pequeña; cultivar sujeta; mantener más fresca por las noches de invierno
Paraphalaenopsis	☀ 🌡 ✿	manojos cortos, pocas flores onduladas en penachos, colores muy marcados	se parece a la *Vanda* de hojas redondeadas; tallos cortos con pocas hojas	rara, muy exigente; cultivarla atada; Abundante humedad ambiental, mucha luz
Phaius	☀ 🌡 🌿	racimos erguidos con flores en forma de estrella, labelos con forma de embudo; refloreciente	grandes hojas en forma de palmera a partir de bulbos relativamente pequeños, raíces carnosas	planta grande; largo período de floración; mantener el sustrato regularmente húmedo, tolerante con la temperatura
Polystachia	● 🌡 🌿	floración repetitiva; variable; pocas flores o racimos con miniflores	bulbos engrosados o en forma de tronco; la mayoría de las veces escaso crecimiento, pocas hojas	extravagante; poner en pequeñas macetas con un sustrato permeable; regar poco en invierno
Sigmatostalix	● 🌡 🌿	pequeños y delicados racimos, flores pequeñas y bonitas, llamativos labelos blancos	muchos tallos; bulbos delgados con una o dos hojas largas y delgadas	de mucho crecimiento; muy adecuada para vitrinas, también como tapizante o para cultivar sujeta
Sobralia	☀ 🌡 🌿	flores muy grandes semejantes a las *Cattleya* en unos largos tallos; floración repetitiva	hojas en forma de caña (de 150 a 200 cm), también es bonita sin flores, a modo de planta verde	imponente; sustrato aireado, regar con intensidad de forma periódica, pero permitir que se vuelva a secar
Thunia	● 🌡 🌿	flores grandes en forma de estrella, racimos cortos; labelo llamativo de color rojo amarillento, rizado	bulbos altos, hojas que cambian constantemente; los bulbos están muy pegados unos a otros	de gran desarrollo; en primavera regar con abundancia y abonar; en invierno mantener seca
Trichocentrum	● 🌡 🌿	de dos a cuatro flores en racimos más o menos colgantes, labelos grandes	hojas firmes con bellos dibujos, asentada sobre bulbos pequeños y firmes	con muchas exigencias; recomendable para cultivar en bloque; elevada humedad ambiental, adecuada para vitrinas
Trichopilia	● 🌡 🌿	bastante grandes, tépalos girados y/o con aspecto de estrella, labelo en forma de embudo	bulbos planos, llevan una hoja; crecimiento muy compacto	gran desarrollo, mucha floración; debido a sus racimos colgantes es preferible un cultivo colgado o en cesta
Vanilla	● 🌡 ✿	grandes flores que florecen durante pocos días, o también de tamaño medio que florecen durante muy poco tiempo	trepadora; de cada 10 a 20 cm nace una hoja y una raíz	es la planta útil más conocida entre las orquídeas; florece a partir de una longitud de 10 m o superior

Principios de invierno

- Regar bastante menos que en verano; debido a que los días son más cortos, las plantas necesitan menos agua; si se riegan demasiado el sustrato se mantiene húmedo durante más tiempo.
- En los días claros y soleados no hay que regar de forma adicional; la radiación solar todavía es muy débil y la duración de la luz es aún bastante escasa.
- Las orquídeas no soportan el aire seco que provoca la calefacción; por lo tanto es necesario elevar la humedad ambiental con algún recipiente con agua para evaporar que se colocará en el radiador; también sirven unas bandejas puestas en la repisa de la ventana.

Mediados de invierno

- La fase de reposo invernal ha concluido, la luz del día aumenta de forma regular; poco a poco hay que empezar a regar más.
- Es necesario tomar ya nota de los sitios que tenemos disponibles para las orquídeas e informarse sobre las nuevas variedades.
- Comprobar las reservas de sustrato y en caso de estimarlo necesario, volver a llenar las macetas.

Finales de invierno

- Entre otras cosas hay que tener en cuenta que los días son más claros y que las orquídeas no estén demasiado al sol; aún no están acostumbradas y pueden sufrir quemaduras solares.
- Hay que empezar a trasplantar los días que sean buenos pero no demasiado cálidos; es necesario comenzar con las orquídeas que más lo precisen, es decir, con las plantas que resulten demasiado grandes para su maceta y con muchas raíces aéreas que salen por encima del tiesto, o bien con las orquídeas cuyo sustrato esté podrido.
- Si se prevé un tiempo soleado y cálido es necesario empezar a regar más.

Cuidado de las orquídeas a lo largo del año

Principios de verano

- En el emplazamiento de verano las plantas se secan muy rápido debido al viento y al calor; no olvidar un riego regular.
- Tampoco en ese emplazamiento de verano en el jardín deberán quedar expuestas a un sol directo; hay que tener en cuenta que siempre estén a semisombra o a la sombra; lo mismo sirve decir para las plantas de la repisa de las ventanas.
- En los períodos de lluvia es necesario colocar un tejado en su emplazamiento de verano para protegerlas de estar siempre mojadas; regar menos las plantas de la ventana.

Mediados de verano

- Las orquídeas cultivadas a temperatura fresca o de fresca a templada no pueden quedarse en el exterior, al menos por las noches tienen que estar lo más frescas posibles.
- Si se puede la humedad del aire no solo debe venir de recipientes de evaporación; la planta admite muy bien un vaporizado periódico.
- Si se va a quedar sola durante varios días (viaje, vacaciones), hay que colocar las orquídeas al menos a 1 m de la ventana.
- Las plantas atadas deben estar de 30 a 60 minutos en agua de lluvia, de tal modo que puedan absorber toda la que precisen.

Finales de verano

- Última fecha para trasplantar.
- Las orquídeas cultivadas a temperatura entre fresca a templada deben ser retiradas ahora de su emplazamiento de verano, podrán permanecer fuera si hace bastante calor; hay que tener muy en cuenta las temperaturas nocturnas.
- Antes de volver a meter las plantas dentro de la vivienda hay que controlar con mucha atención la existencia de parásitos; si no se van a trasplantar es necesario echar a cada maceta unos pocos gránulos antilimaco.
- Reducir el riego poco a poco, las noches ya son más frescas y necesitan menos agua.

Principios de primavera

- Ahora hay que cambiar de maceta a las plantas que lleven dos años en el mismo sustrato y también se pueden dividir si se han hecho demasiado grandes.
- En esta época los parásitos del jardín pueden entrar en la vivienda y atacar a las orquídeas; es necesario un control regular de las plantas.
- Cuidado con la araña roja: elevar la humedad del aire a base de vaporizar o bien con bandejas de evaporación o rociando para prevenir.
- Elevar bastante el aporte de agua de modo que los cepellones de las orquídeas nunca se queden secos, como ocurre en invierno.

Mediados de primavera

- Colocar al aire libre, a partir de primeros de mayo, las orquídeas que sean de cultivo a temperatura fresca, el resto de las que necesiten un emplazamiento de verano deberán estar colocadas en el exterior a partir de mediados de mayo, no se debe olvidar nunca el riego.
- Las plantas que están en las ventanas orientadas al sur deben quedar protegidas del sol a base de separarlas un poco de la ventana.
- Sacar las plantas jóvenes de las bandejas estériles y plantar.
- Las plantas que estén atadas crecerán más ahora; hay que tener muy en cuenta que tengan la suficiente humedad del aire.
- Últimas fechas para los trasplantes.
- Controlar de forma periódica la aparición de parásitos.

Finales de primavera

- Hay que ocuparse a tiempo de los cuidados de las plantas para las vacaciones y empezar con ellos.
- Si es posible, almacenar agua de lluvia de modo que en verano no nos quedemos escasos y hacer una reserva; con ella las orquídeas adquirirán un saludable follaje y desarrollarán fuertes raíces.
- Ahora precisan de más agua; por tanto hay que mantenerlas más húmedas que en invierno; sobre todo hay que evitar que se sequen las de mayor floración.

Merece la pena echar de forma periódica un vistazo a las orquídeas: nos agradecerán esta pequeña atención con un esplendor floral mantenido a lo largo del tiempo. Y si se descubren a tiempo, ni las enfermedades ni los parásitos tendrán ninguna oportunidad.

Principios de otoño

- Según el tamaño y la orientación de la ventana, habrá que recurrir de nuevo a la luz artificial.
- El riego a partir de ahora deberá ser más escaso y menos frecuente.
- En las exposiciones de orquídeas de otoño florecen todo tipo de variedades; merece la pena hacer una visita.
- No hay que olvidar los controles para detectar la cochinilla y la cochinilla algodonosa; si se reconocen a tiempo, se pueden evitar de forma rápida y sencilla.
- Las plantas que aún están en el exterior se deben introducir en la vivienda; realizar un control previo de parásitos.

Mediados de otoño

- Las orquídeas que no precisan de una fase de reposo y no han estado en un emplazamiento de verano se colocarán en una habitación clara y fresca; regar poco o casi nada.
- Echar mano, ahora ya de forma inexcusable, a la iluminación adicional.
- Las habitaciones con mucha calefacción deben ser objeto de un control especial frente a la araña roja; hacer un tratamiento preventivo de las plantas.

Finales de otoño

- Después de comprar las orquídeas, hay que transportarlas en envolturas bien cerradas.
- Las orquídeas que se compren ahora deben tener desarrollados del todo los brotes y las flores abiertas.
- Para regar y pulverizar solo se utilizará agua a temperatura de la habitación; el agua de la reserva de lluvia está demasiado fría.
- En las axilas de las hojas no debe quedar almacenada agua, de lo contrario la planta enfermará; se puede eliminar ese exceso de agua con un pañuelo de celulosa.

HÍBRIDOS DE GÉNEROS Y SUS GÉNEROS PROGENITORES

Híbridos de géneros	Abrev.	Géneros progenitores	Híbridos de géneros	Abrev.	Géneros progenitores
Aeridocentrum	Aerctm.	Aerides × Ascocentrum	*Hasegawaara*	Hasgw.	Brassavola × Broughtonia × Laelia × Cattleya × Sophronitis
Aliceara	Alcra.	Brassia × Miltonia × Oncidium	*Hawkinsara*	Hknsa.	Broughtonia × Cattleya × Sophronitis × Laelia
Angrangis	Angrs.	Aerangis × Angraecum	*Howeara*	Hwra.	Leochilus × Oncidium × Oncidium
Angranthes	Angth.	Aeranthes × Angraecum			
Angulocaste	Angcst.	Anguloa × Lycaste	*Ionettia*	Intta.	Comparettia × Ionopsis
Aranda	Aranda	Arachnis × Vanda	*Ionocidium*	Incdm.	Ionopsis × Oncidium
Ascocenda	Ascda.	Ascocentrum × Vanda	*Keferanthes*	Kefth.	Keffersteinia × Cochleanthes
Ascofinetia	Ascf.	Ascocentrum × Neofinetia	*Kirchara*	Kir.	Cattleya × Epidendrum × Laelia × Sophronitis
Beallara	Bllra.	Brassia × Cochlioda × Miltonia × Odontoglossum	*Laeliocattkeria*	Lcka.	Laelia × Cattleya × Barkeria
Bishopara	Bish.	Broughtonia × Cattleya × Sophronitis	*Laeliocattleya*	Lc.	Laelia × Cattleya
			Laeliocattonia	Lctna.	Laelia × Cattleya × Broughtonia
Brassidium	Brsdm.	Brassia × Oncidium			
Brassolaeliocattleya	Blc.	Brassavola × Cattleya × Laelia	*Maclellanara*	Mclna.	Brassia × Oncidium × Odontoglossum
Burrageara	Burr.	Cochlioda × Miltonia × Odontoglossum × Oncidium	*Miltassia*	Mtssa.	Brassia × Miltonia
			Miltonidium	Mtdm.	Miltonia × Oncidium
Catanoches	Ctnchs.	Catasetum × Cycnoches	*Mokara*	Mkra.	Arachnis × Ascocentrum × Vanda
Cattleytonia	Ctna.	Cattleya × Broughtonia			
Charlesworthara	Cha.	Cochlioda × Miltonia × Oncidium	*Nakamotoara*	Nak.	Ascocentrum × Neofinetia × Vanda
Cirrhophyllum	Crphm.	Cirrhopetalum × Bulbo-phyllum	*Neograecum*	Ngcm.	Neofinetia × Angraecum
Cochlepetalum	Ccptm.	Cochleanthes × Zygopetalum	*Odontioda*	Oda.	Odontoglossum × Cochlioda
Colmanara	Colm.	Miltonia × Odontoglossum × Oncidium	*Odontobrassia*	Odbrs.	Odontoglossum × Brassia
			Odontocidium	Odcdm.	Odontoglossum × Oncidium
Cycnodes	Cycd.	Cycnoches × Mormodes	*Odontonia*	Odtna.	Odontoglossum × Miltonia
Darwinara	Dar.	Ascocentrum × Neofinetia × Rhynchostylis × Vanda	*Odontorettia*	Odrta.	Odontoglossum × Comparettia
Degarmoara	Dgmra.	Brassia × Miltonia × Odontoglossum	*Oncidettia*	Onctta.	Oncidium × Comparettia
Diacattleya	Diac.	Diacrium × Cattleya	*Otaara*	Otr.	Brassavola × Cattleya × Broughtonia
Dialaelia	Dial.	Diacrium × Laelia			
Dialaeliocattleya	Dialc.	Diacrium × Laelia × Cattleya	*Pescoranthes*	Psnth.	Pescatorea × Cochleanthes
Doritaenopsis	Dtps.	Doritis × Phalaenopsis	*Potinara*	Pot.	Brassavola × Cattleya × Laelia × Sophronitis
Dracuvallia	Drvla.	Dracula × Masdevallia			
Epicatonia	Epctna.	Epidendrum × Cattleya × Broughtonia	*Propetalum*	Pptm.	Promenaea × Zygopetalum
			Renancentrum	Rnctm.	Renanthera × Ascocentrum
Epicattleya	Epc.	Epidendrum × Cattleya	*Renanthopsis*	Rnthps.	Renanthera × Phalaenopsis
Epilaelia	Epl.	Epidendrum × Laelia	*Rhynchocentrum*	Rhctm.	Rhynchostylis × Ascocentrum
Epiphronitis	Ephs.	Epidendrum × Sophronitis	*Rhynchovanda*	Rhv.	Rhynchostylis × Vanda
Euryangis	Eugs.	Eurychone × Aerangis	*Rodrettia*	Rdtta.	Comparettia × Rodriguezia
Gomada	Ggmra.	Gomesa × Ada	*Rodricidium*	Rdcm.	Rodriguezia × Oncidium

HÍBRIDOS DE GÉNEROS Y SUS GÉNEROS PROGENITORES

Híbridos de géneros	Abrev.	Géneros progenitores	Híbridos de géneros	Abrev.	Géneros progenitores
Schombocattleya	*Smbc.*	*Schomburgkia* × *Cattleya*	*Vascostylis*	*Vasco.*	*Ascocentrum* × *Vanda* × *Rhynchostylis*
Sophrocattleya	*Sc.*	*Sophronitis* × *Cattleya*	*Vuylstekeara*	*Vuyl.*	*Cochlioda* × *Miltonia* × *Odontoglossum*
Sophrolaelia	*Sl.*	*Sophronitis* × *Laelia*			
Sophrolaeliocattleya	*Slc.*	*Sophronitis* × *Cattleya* × *Laelia*	*Wilsonara*	*Wils.*	*Cochlioda* × *Oncidium* × *Odontoglossum*
Vandaenopsis	*Vdnps.*	*Vanda* × *Phalaenopsis*			
Vandofinetia	*Vf.*	*Vanda* × *Neofinetia*	*Zygonisia*	*Zns.*	*Zygopetalum* × *Aganisia*

* En la tabla anterior aparecen los nombres usados habitualmente en el momento de la edición del presente libro. En la «Galería» (a partir de la página 84) se pueden encontrar tanto las denominaciones actuales como las utilizadas normalmente y sus sinónimos.

INTERVALOS DE TEMPERATURAS PARA LAS ORQUÍDEAS

	Frío	Templado	Calor
Días de invierno	al menos 18 °C	al menos 18 °C	al menos 4 °C sobre la temperatura de la noche
Noches de invierno	al menos 10 °C, máximo de 12 °C	al menos 12 °C, máximo de 16 °C	al menos 16 °C
Días de verano	al menos 20 °C y en la medida de lo posible no superar los 28 °C, inmediatamente después incrementar la humedad atmosférica	al menos 20 °C y en la medida de lo posible no superar los 30 °C, inmediatamente después incrementar la humedad atmosférica	al menos 20 °C y en la medida de lo posible no superar los 30 °C, inmediatamente después incrementar la humedad atmosférica
Noches de verano	tan frío como sea posible, al menos 10 °C	tan frío como sea posible, al menos 10 °C	al menos 16 °C
Variación entre día y noche	tan alta como sea posible, al menos 6 °C	tan alta como sea posible, al menos 6 °C	tan alta como sea posible, al menos 4 °C
Fase de reposo en invierno (si no es posible disponer de jardines de invierno)	una acentuada fase de reposo de unos dos meses entre 12 y 16 °C al tiempo que se mantienen parcialmente secas	si hay tendencia al frío: una leve fase de reposo de unos 2 meses entre 14 y 16 °C. Si hay tendencia al calor: sin un acentuado período de reposo, basta con la habitual bajada de temperatura del invierno	sin fase de reposo, basta con la habitual bajada de temperatura de la noche
Noches al aire libre	si suben claramente las temperaturas diurnas, tan frío como sea posible, al menos 4 °C	si suben claramente las temperaturas diurnas, tan frío como sea posible, al menos 8 °C	no mantener nunca los cultivos al aire libre, ya que incluso en verano las temperaturas pueden bajar claramente de los 16 °C
Zona de verano al aire libre	desde mediados de primavera hasta finales de verano según las temperaturas se adelanten o atrasen	desde mediados de primavera hasta finales de verano también de acuerdo con que las temperaturas se adelanten o atrasen	no recomendables

Índice alfabético

Los números expresados en **negrita** hacen referencia a las ilustraciones.

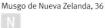

Debido a las grandes diferencias climáticas y microclimáticas existentes, hemos establecido los criterios hortícolas pensando en un jardín de una zona templada media, sin grandes heladas invernales ni un calor sofocante en verano. Por lo tanto, cada lector deberá adelantar o retrasar las labores correspondientes dependiendo de si su jardín se halla en una zona más cálida o más fría que la media considerada.

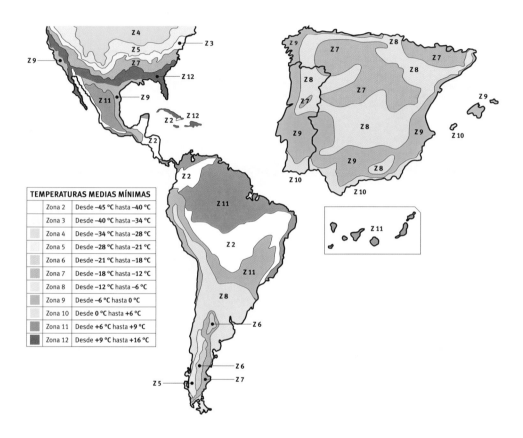

TEMPERATURAS MEDIAS MÍNIMAS		
	Zona 2	Desde –45 °C hasta –40 °C
	Zona 3	Desde –40 °C hasta –34 °C
	Zona 4	Desde –34 °C hasta –28 °C
	Zona 5	Desde –28 °C hasta –21 °C
	Zona 6	Desde –21 °C hasta –18 °C
	Zona 7	Desde –18 °C hasta –12 °C
	Zona 8	Desde –12 °C hasta –6 °C
	Zona 9	Desde –6 °C hasta 0 °C
	Zona 10	Desde 0 °C hasta +6 °C
	Zona 11	Desde +6 °C hasta +9 °C
	Zona 12	Desde +9 °C hasta +16 °C

Directora de la colección: **Carme Farré Arana**

Título de la edición original: **Orchideen**

Es propiedad, 2005
© **Gräfe und Unzer Verlag GmbH,** Munich.

© de la edición en castellano, 2010:
Editorial Hispano Europea, S. A.
Primer de Maig, 21 - Pol. Ind. Gran Via Sud
08908 L'Hospitalet - Barcelona, España.
E-mail: hispanoeuropea@hispanoeuropea.com

© de la traducción: **Eva Nieto**

Depósito Legal: B. 6866-2010

ISBN: 978-84-255-1922-2

Consulte nuestra web:
www.hispanoeuropea.com

AGRADECIMIENTOS
La editorial, el autor y el fotógrafo Guido Sachse agradecen cordialmente el amable respaldo que para realizar la producción fotográfica les han prestado:
Bergarten Hannover
Sautter & Sepper, Ammerbuch y
Schwerter Orchideenzuchte
Schwerte/Ruhr (Alemania)

ADVERTENCIAS IMPORTANTES
> Mantenga los fertilizantes y pesticidas fuera del alcance de los niños o los animales domésticos.
> En caso de sufrir alguna lesión o herida acuda de inmediato al médico. Pudiera necesitar la aplicación de una inyección contra el tétanos.

ACERCA DEL AUTOR
Frank Röllke es cultivador de orquídeas y copropietario de una empresa de jardinería dedicada a esas plantas, que distribuye por toda Europa. Sus profundos conocimientos profesionales le han supuesto participar como juez en numerosos eventos internacionales. Sus orquídeas han sido galardonadas en exposiciones de ámbito tanto nacional como internacional.

EL FOTÓGRAFO
Guido Sachse es técnico diplomado en proyectos de jardinería. Desde hace ya muchos años dedica con enorme entusiasmo su tiempo libre a la práctica de la fotografía de la Naturaleza. Se muestra especialmente interesado por los temas relacionados con el paisajismo y las plantas.

Crédito de fotografías:
Todas las fotografías son de Guido Sachse con la excepción de: Arco/Meul: 67; Blickwinkell: 7; Hunt : 111 (der.); Köhler: 2 (izq.); Okappia/Morell: 11; Photolibrairy: portada, 2 (der.); Schneider: 105 (cen.); Strauß: 17, 47 (aba.).
Fotografías de las portadas y del comienzo de cada capítulo:
Portada anterior: Híbridos de *Dendrobium*; Págs. 1/2: *Phalaenopsi*s; Pág. 4: *Dendrobium* (arr., izq.), *Paphiopedilum* (arr., der.), *Vanda* (aba., izq.), *Cattleya* (aba., der.); Pág. 28: *Epidendrum* (arr., izq.), trasplante de plantas jóvenes (arr., der.), podar esquejes (aba., izq.), atar racimos de flores (aba., der.); Pág. 80: *Ascocenda* (arr., izq.), *Brassia chloroleuca* (arr., der.); *Dendrobium* Jaquelin Concert (aba., izq.); *Pleurothallis spec.* (aba., der.).

IMPRESO EN ESPAÑA   PRINTED IN SPAIN
LIMPERGRAF, S. L. - Mogoda, 29-31 (Pol. Ind. Can Salvatella) - 08210 Barberà del Vallès

124